촛불세대를 위한
반자본주의 교실

ANTICAPITALISMO PARA PRINCIPIANTES
by Ezequel Adamovsky, Illustradores Unidos
Copyright ⓒ 2004 Era Naciente SRL All rights reserved

Korean translation copyright ⓒ 2009 by Samcheolli Publishing Co., Seoul
Korean translation rights arranged with Era Naciente SRL, Argentina
through EYA(Eric Yang Agency)

이 책의 한국어판 저작권은 EYA(Eric Yang Agency)를 통해 Era Naciente SRL사와 독점 계약한 '삼천리'가 소유합니다. 저작권법에 의하여 한국 내에서 보호를 받는 저작물이므로 무단 전재와 복제를 금합니다.

촛불세대를 위한
반자본주의 교실

지은이	에세키엘 아다모프스키
그린이	일러스트레이터연합
옮긴이	정이나
펴낸이	송병섭
펴낸곳	삼천리
디자인	윤용태
등록	제312 - 2008 - 000002호
주소	121- 848 서울시 마포구 성산동 294-14 2층
전화	02) 711 - 1197
전송	02) 6008 - 0436
전자우편	bssong45@hanmail.net

1판 1쇄   2009년 7월 2일

값 9,500원
ISBN 978-89-901250-3-7 03300

한국어판 ⓒ 삼천리 2009

Anticapitalismo

촛불세대를 위한
반자본주의 교실

에세키엘 아다모프스키 지음
일러스트레이터연합 그림
정이나 옮김

삼천리

| 한국의 독자들에게 |

　한국의 독자들에게 인사를 전할 수 있다는 것이 제겐 너무나 큰 영광입니다. 제가 태어나서 살고 있는 아르헨티나는 한국에서 볼 때 지구 정반대쪽 먼 곳에 있고 역사적 경험과 문화도 많이 다릅니다.
　뜻밖에도 1960년 중반부터 아르헨티나는 많은 한국 이민자들을 받는 행운을 누렸습니다. 특히 부에노스아이레스에서는 한국 사람을 어렵지 않게 볼 수 있었습니다. 이 도시에는 코리아타운이 있는데 바로 제가 살던 집 부근이어서 한국 사람들과 우정을 나눌 수 있는 기회가 있었습니다. 비록 자세한 소식까지 자주 들을 수 없었지만, 한국에서 일어난 학생운동과 민주화 운동에 큰 감명을 받았습니다.
　그리고 또 한 가지. 이곳 라틴아메리카의 운동가들은 2003년 9월 멕시코 칸쿤에서 WTO 반대투쟁을 함께한 한국 농민들의 동지애를 결코 잊을 수 없습니다. 지구 반대편까지 달려와 토착 원주민, 학생, 노동자들 그리고 전 세계 사회단체와 함께 투쟁하는 모습은 퍽 인상 깊었습니다. 우리는 너나 할 것 없이 식량 주권과 농사일의 존엄성 회복을 위해 싸우며 한목소리로 신자유주의의 세계화 반대를 외쳤습니다.
　이 책은 무엇보다 이러한 우리의 싸움을 효과적이고 강력한 것으로 만드는 데 작은 보탬이 될 것이라는 희망으로 썼습니다. 한국에서도 그런 역할을 해줄 수 있기를 기대합니다.

2009년 5월 21일 부에노스아이레스에서
에세키엘 아다모프스키

| 차례 |

- 한국의 독자들에게 5

1 우리가 살고 있는 자본주의 사회

반자본주의자들 13 | 자본주의 14 | 억압적인 사회 15 | 계급사회 16 | 부르주아지, 자본주의 지배계급 18 | 민중 계급 20 | 계급투쟁, 자본주의 고유의 위기 23 | 사유재산 25 | 상품과 임금, 시장 26 | 원시적 축적 28 | 전 세계로 팽창하는 자본주의 30 | 국민국가 31 | 제국주의 33 | 세계화 34 | 내부 팽창 36 | 국가란 무엇인가? 38 | 이윤의 축적과 국가 39 | 정통성 확보 40 | 국가는 사회의 기능 가운데 하나다 41 | 국가는 사회로부터 나온다 42 | 분리하고 위계질서를 만드는 '기계' 43 | 세계화된 사회, 제한된 권리들 44 | 공적인 것과 사적인 것 45 | 그렇다면 바꾸면 될 것 아닌가 46 | 가짜 민주주의 47 | 민중 없는 '민주주의' 48 | 자본의 독재 49 | 지배계급의 헤게모니 50 | 자본주의 이데올로기 51 | 개인주의, 자본주의 문화 53 | 성공지상주의, 소비만능주의 54 | 현실 순응주의와 수동적 태도 55 | 자본주의는 완벽한 체제인가 56

2 저항을 넘어 반자본주의로

반자본주의가 나타나기까지 58 | 휴머니즘 '혁명' 60 | 유토피아 사상 62 | 영국혁명 – 혁명의 전통의 탄생 64 | 프랑스혁명 – 자유와 평등의 깃발 65 | 혁명의 메아리 – 반인종주의, 민족자결, 페미니즘 67 | 프롤레타리아트의 탄생 69 | 사회주의 전통이 생겨나다 70 | 아나키즘 72 | 마르크스주의 74 | 제1인터내셔널 76 | 최초의 사회주의 정당 77 | 개혁인가, 혁명인가! 78 | 러시아혁명 – 최초의 반자본주의 혁명 80 | 소비에트 정부 82 | 레닌주의 83 | 스탈린주의와 트로츠키주의 84 | 마오쩌둥주의 85 | 게바라주의, 농촌근거지론 86 | 민족해방투쟁 87 | 공산주의 사회 건설의 좌절 88 | 사회민주주의의 좌절 90 | 민족해방 운동의 변화 91 | 신자유주의의 전개와 '역사의 종말' 92 | 새로운 반자본주의의 등장 93

3 새로운 반자본주의 운동

권력을 잡는다는 것 96 | 자율성(아우토노미아) 100 | 오늘이 바로 혁명의 날이다 104 | 수평적인 조직과 운동 108 | 네트워크 구조 112 | 다양성과 잠재력 116 | 구체적 상황에 따른 정책 121 | 투쟁의 세계화 126 | 직접행동과 시민불복종 129 | 창의성과 유쾌함 132

4 사파티스타에서 시애틀까지

사파티스타, 싸움에 앞장선 멕시코 주민 136 | 토지 없는 농민들의 투쟁과 '비아 캄페시나' 140 | 피케테로스와 노동자 자주관리 공장 143 | 세계여성행진, 착취와 가부장제에 맞서는 여성들 146 | 나르마다 살리기와 거리 되찾기 148 | 국경 없는 네트워크, 국경과 인종주의에 도전하는 이민자들 151 | 반사유화포럼, '민영화'에 반대하는 가난한 사람들 153 | 대안 미디어-정치 예술, 광고 게릴라에서 독립 미디어까지 155 | 세계사회포럼, 의사소통과 실천의 네트워크 158 | 시애틀 시위와 세계 행동의 날 161

5 새로운 사회를 위하여

전 지구적 네트워크를 166 | 소득의 세계화와 재분배 167 | 자본의 이동을 통제한다 169 | 환경 위기의 해결 방안들 171 | 사회적 임금 173 | 지구 시민권 173 | 직접 민주주의와 참가형 민주주의 174 | 상품화되지 않은 교환 형태 175 | 총체적 변혁을 위한 몇 가지 제안 177 | 교실 밖으로 179

- 참고문헌 180
- 조직·단체 줄임말 182
- 옮긴이 후기 183
- 인물 찾아보기 192

1
우리가 살고 있는 자본주의 사회

우리가 살고 있는 자본주의 사회는 역사적 과정을 통해
인간이 만들어 낸 수많은 사회 시스템 가운데 하나일 뿐이다.

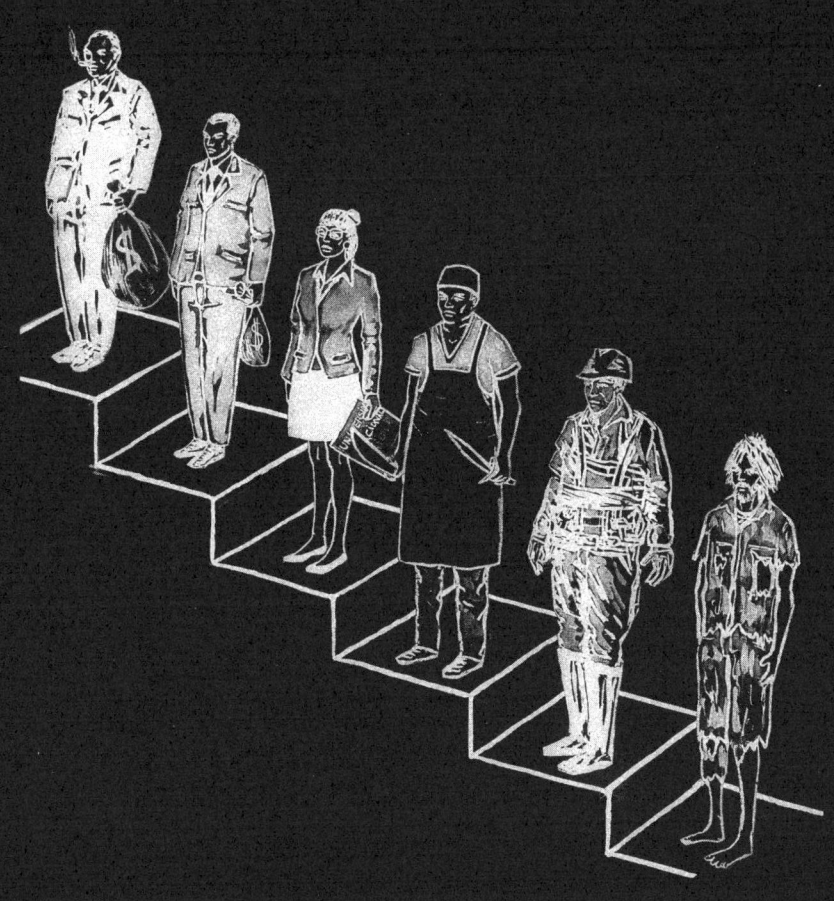

반자본주의자들

세계의 비참한 현실이 자본주의라는 불공평한 시스템에서 나온다고 생각하는 사람은 넓은 의미에서 모두 반자본주의자라고 할 수 있다. 사람들은 수세기 전, 자본주의가 형성되면서부터 자본주의에 저항해 왔다. 하지만 자본주의의 본질과 문제점을 분명히 의식하고 저항하기 시작한 것은 고작 2백 년 정도밖에 되지 않았다. 그 뒤로 세계 곳곳에서 반자본주의자들은 자본주의와는 다른 사회를 건설하기 위해 투쟁해 왔다.

사회주의 / 혁명적 생디칼리즘 / 아나키즘
마르크스주의 레닌주의, 트로츠키주의, 마오주의 / 사회주의 페미니즘 / 농민운동
민족해방운동 / 게바라주의 / 자율주의
반세계화운동 / 사파티스타 / 급진적 생태주의

반자본주의를 이해하려면 먼저 자본주의가 무엇인지 알아야 한다. 그러면 자본주의가 어떤 사회인지 살펴보자.

자본주의

무엇보다 자본주의란 사회생활의 양식을 결정하는 사회제도 가운데 하나라고 할 수 있다. 세상 사람들이 함께 살아가려면 어떤 사회든 다음과 같은 몇 가지 '질문'에 대해 공통된 '해결책'을 갖고 있어야 한다.

이러한 질문에 대한 해결책은 여러 방식이 있을 수 있는데, 이런 해결책을 체계화한 것이 사회제도이다. 오랜 역사를 거치며 인간은 여러 가지 방식으로 공동생활을 해 왔다. 자본주의라는 것도 이러한 역사 속에서 나온 사회제도 가운데 하나일 뿐이고, 인류 역사에서 가장 최근에 나타난 사회 체제라고 할 수 있다. 자본주의가 처음 나타난 지도 어느덧 5백 년이 넘었다.

억압적인 사회

인류 역사에 나타난 여러 사회 가운데 우리가 살고 있는 자본주의는 가장 억압적인 사회 체제 가운데 하나라 할 수 있다. 몇 안 되는 사람들이 나머지 모든 사람들에게 지속적으로 권력을 행사한다. 권력을 가진 사람들은 다른 사람들을 복종하도록 만들고 무엇이든 하도록 강제할 수 있다.

권력을 가진 자들은 힘으로 억압받는 자들을 굴복시키는가 하면, 심지어 '교육'을 통해 권력에 순종하는 것이 옳으며 인간이 함께 살아갈 수 있는 유일한 방식이라고 가르치기도 한다. 사람들 사이에 권력이 분배되는 방식에 따라 여러 가지 억압 형태가 나타난다.

우선 사회적 성에 따른 억압이 있다. 남성은 여성에 대해 권력을 행사해 노동을 강요하지만 여성의 노동 가치를 인정하지 않는다. 동시에 남성이 원하는 방식으로 여성의 행동을 억압하는 일도 많다. 이런 억압을 가부장제라고 하는데, 과거에 대부분의 사회에서 존재했고 오늘날까지도 여전히 뿌리깊이 남아 있는 사회제도 가운데 하나다.

계급사회

자본주의는 계급에 따라 사람을 차별하는 억압적인 사회이다. 이 말은 특정한 지배계급(즉 자본가)이 사회적인 지위와 자신들이 가지고 있는 (또는 그렇게 생각하는) 능력이나 특권을 이용해 사람들을 지배한다는 뜻이다. 물론 그렇다고 해서 자본주의 사회에서 계급을 제외한 다른 여러 가지 억압 형태들이 사라졌다는 말은 아니다. 계급적인 억압은 인종이나 성 차이 등과 결합해서 오히려 성 차별이나 인종 차별 같은 억압을 더 강화시키기도 한다.

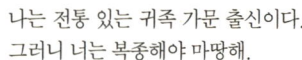

계급의 권력은 여러 가지 방식으로 만들어지고 유지된다. 다시 말해, 다양한 이념, 습관, 규율, 제도를 통해 형성되기도 하고 정당화되기도 한다. 예를 들면, 중세의 봉건 영주들은 태어날 때부터 귀족 신분으로서 전쟁을 통해 백성들을 보호하는 임무를 맡도록 되어 있었다. 그 대가로 농민들은 세금을 내거나 일을 해 주어야 했다.

과거 소비에트연방의 국가 관료나 정치 지도자들은 자신들이 사회를 지배할 수 있는 의식과 권한을 갖고 있다고 생각했다. 따라서 사회의 특권적 지위를 자신들이 가져야 한다고까지 주장했다.

역사적으로 지배계급은 자신의 권력을 지켜 내고 정당화하기 위해 신념, 규율, 제도 등 각종 사회 시스템을 발전시켜 왔다. 마찬가지로 자본주의 아래에서 자본가 계급은 권력을 새로운 형태로 제도화했다. 하지만 자본주의 사회는 지배계급의 권력이 태생적으로 또는 폐쇄적인 사회신분 구조에 소속되지 않은 최초의 사회이다. 사람들 간의 근본적 구별이 이제는 신분이 아니라 경제적 차이로 나타나게 된 것이다.

1 우리가 살고 있는 자본주의 사회 17

부르주아지, 자본주의의 지배계급

자본주의 사회의 지배계급인 부르주아지는 자신들이 소유하고 운영하는 자본의 종류와 크기에 따라 지위가 결정된다. 부르주아들은 토지, 회사, 기계설비, 자금, 은행 따위를 통해 생산수단을 장악한다. 때로는 굳이 그런 생산수단의 주인이 되지 않고도 경제적 자본을 지배하기도 한다. 예를 들어, 어떤 회사의 주식이 수천 명의 소액 주주에게 분산되었을 때, 대주주들은 약간의 지분만 가지고도 사실상 경영을 통제할 수 있다.

부르주아들은 생산 자본의 지배를 확실히 하기 위해 그 밖의 다른 사회적 자원도 관리할 필요가 있다. 예를 들면, 그들은 정치, 학계, 법조계는 물론이고 언론 분야에서도 일정한 지위를 차지하고 있다.

:: 이렇게 볼 때 지배계급은 직간접적으로 사회의 경제 자원과 그 밖의 주요한 자원들을 통제하는 집단이라고 정의할 수 있다. 이러한 사회적 통제를 통해 사람들에 대한 지배력을 얻게 되는 것이다.

자본주의의 가장 큰 특징은 계급이 한눈에 구분되지 않는다는 점이다. 그 구분 또한 영원한 것이 아니고 계급 간의 경계도 유동적이어서 생활 속에서 뚜렷하게 드러나지 않는다. 비록 중요한 경제 자원을 지배하는 자와 그렇지 않은 사람으로 크게 나뉘지만, 계급은 부의 정도에 따라 차이가 나기 때문에 가장 부유한 사람에서부터 가장 가난한 사람들까지 모두 개인으로 존재하는 듯 보인다. 그래서 오직 몇 사람만 지배계급의 위치를 차지하게 되지만, 사람들은 늘 자신이 한 단계 더 높은 곳으로 오를 수 있다는 느낌을 갖게 된다.

민중 계급

이런 문제를 두고 반자본주의자들 사이에서는 때때로 격렬한 논쟁이 벌어지곤 한다. 사람들은 저마다 자신이 속한 계급에 바탕을 두고 정치적 행동을 하는 경향이 있다. 무슨 계급이며 어떠한 계급에 속해 있는지를 판단하는 것은 정치 활동을 위해서 매우 중요한 일이기 때문이다. 사실 이런 생각이 어느 정도는 옳다고 볼 수 있다. 다만 사람에 따라서는 자신이 속해 있는 계급의 잠정적 상황에 '상응'하지 않는 정치적 결정을 내리는 경우도 많다. 전문직이나 상점 주인이 훌륭한 혁명가가 되는가 하면 노동자들이 오히려 보수적일 때도 있는 것처럼 말이다.

사실, 지배계급 말고는 다른 사회계급들을 구별해 내기란 쉬운 일이 아니다. 더구나 그런 사회계급이 고정된 것이라고 생각할 경우에는 더욱더 혼란스러워진다. 왜냐하면 자본주의는 계급이 뚜렷하게 구별되는 고정된 시스템이 아니라 다른 계급 사람들 간의 분리가 지속적이고 일상적으로 이루어지는 과정이라고 할 수 있기 때문이다.

앞에서 나왔지만 사람들을 계급으로 나누는 게 자본주의의 특기다. 그래서 자본주의는 사람들 사이의 구분을 만들어 내어 함께하는 것을 방해하는 하나의 체계라 할 수 있다. 그런 면에서 대다수의 사람들을 억압하는 대가로 직접적인 혜택을 받는 소수를 제외하면 계급 간의 구별을 말하는 게 실제로 별다른 의미가 없다. 이것은 마치 장식장이나 책장을 작은 칸막이로 구분하는 것과 같은 것일지도 모른다.

물론 노동자, 농민, 학생, 자영업자 등 각 집단마다 정치나 세상을 인식하는 데 영향을 받는 자신들만의 특수성도 가지고 있다. 하지만 중요한 것은 계급들 간의 차이를 발견하여 그들을 분리시키는 것이 아니라, 서로 다른 계급 사이에 존재하는 공통점을 찾아 이들을 결합할 수 있는 방법을 고민하는 것이다. 물론 어떤 계층이 다른 계층들보다 사회에서 좀 더 유리한 지위를 갖고 있을 수 있다. 그래서 자본주의 시스템이 만들어 내는 고통으로부터 어느 정도 벗어날 수도 있을 것이다. 어쩌면 그렇기 때문에 그런 사람들은 덜 급진적인 사상을 갖게 된다.

만약 자본주의가 끊임없이 강요하는 '계급 분리'를 받아들인다면, 그것은 곧 자본주의 시스템을 인정하는 것과 마찬가지다.

사람들이 계급에 따라 분리되어 있다는 현실은 본질이 아니다. 이것은 시스템 자체로부터, 지배계급에 의해 만들어진 영향일 뿐이다. 지배계급의 영향 아래에서는 여러 다른 계급들은 존재하지 않으며, 단지 총체적인 인간 생활의 다양한 측면이 존재할 뿐이다.

계급투쟁, 자본주의 고유의 위기

계급사회인 자본주의는 늘 긴장 상태를 유지할 수밖에 없다. 자본주의는 단순히 경제적 착취만 하는 게 아니다. 사람들이 원래 갖고 있는 일하는 능력을 잃게 할 뿐만 아니라 스스로를 자유롭게 움직일 수 있는 힘을 마비시킨다. 나아가 스스로 어떻게 살지를 결정할 수 있는 가능성으로부터도 멀어지게 만든다. 사람들은 저항을 통해 억압과 착취로부터 벗어나 자율적인 능력을 발휘하고 결정권을 되찾고자 한다. 계급투쟁이란 바로 이러한 억압과 그것에서 벗어나기 위한 의지 사이에서 나타나는 지속적인 싸움이다. 계급투쟁은 대규모 저항운동으로 나타나기도 하지만 소극적으로 일을 더디게 하는 행위도 계급투쟁의 모습이다. 또 계급투쟁은 개인적이고 무의식적인 행동일 수도 있다. 이를테면 더 좋은 일자리를 찾아 다니던 회사를 그만둔다든가, 단순한 월급쟁이를 벗어나기 위해 새로 공부를 시작하는 것 또한 계급투쟁의 모습이다.

자본주의 사회에서 사람들은 끝없이 수탈되고 소외되지만 한편으로는 이런 수탈에서 벗어나기 위해 힘을 모으고 억압에 도전하며 자유로운 공간을 손에 넣기 위해 계급투쟁을 계속한다. 이에 대해 지배계급 쪽에서도 새로운 형태의 억압 수단을 끊임없이 만들어 낸다.

카를 마르크스

이렇듯 지배계급의 힘은 날마다 재정립하지 않으면 깨지기 쉽고 늘 불안정할 수밖에 없다. 자본주의는 내부에 끊임없는 고유의 위기가 상존하는 시스템이라고 할 수 있다. 주기적으로 찾아오는 경세 위기의 배경에는 물질적 요인 말고도 자본주의의 지배력에서 벗어나기 위해 저항하고 맞서 싸우려는 우리의 힘이 있다.

사유재산

자본주의 사회에서 가치관이나 제도는 늘 변하기 마련이어서 현실에 타협하기도 하고 또는 계급투쟁을 거쳐 제거되기도 한다. 지배력을 뒷받침하는 가치관 가운데에는 좀처럼 변하지 않는 것도 있다. 그 가운데 무엇보다 중요한 것은 세상에 존재하는 모든 자원을 사유화할 수 있다는 믿음이다.

사적(私的) 소유라는 게 새로운 건 아니다. 먼 옛날부터 토지나 생산 도구 같은 몇몇 재산에 대해 배타적인 권리가 있어 왔다. 그러나 자본주의 아래에서는 이런 종류의 권리, 즉 사적 소유권이 모든 것에 적용되었다. 수천 헥타르에 이르는 토지는 물론 호수까지도 개인이 소유하게 되었고, 심지어 항만이나 기업, 노래, 아이디어, 유전자 그리고 은행의 수십억 원이 넘는 돈까지도 사유재산이 되어 버렸다. 또한 아직은 개인 소유로 되어 있지 않은 것들도 몇몇 개인들에게는 아무런 비용 없이 사유화할 수 있게 해 주고 있는 형편이다. 예를 들면, 한 회사가 모든 사람이 마시는 '공기'를 오염 시킨다든가, 온갖 광고 선전물로 우리가 눈 뜨고 볼 수 있는 공간을 도배하기도 한다. 한마디로 자본주의란 모든 것을 사유화하는 기계 같은 것이다.

상품과 임금, 시장

자본주의의 기초를 이루는 또 하나의 제도는 바로 상품이다. 상품이란 팔아서 이익을 얻기 위해 생산하는 모든 것을 말한다. 사람들은 아득히 먼 옛날부터 시장이라 부르는 공간에서 물건을 사고파는 행위를 해 왔다. 그런데 자본주의 아래에서는 우리가 사는 모든 공간이 거대한 시장으로 바뀌는 경향이 있고, 이제 거의 모든 것이 판매 가능성 있는 상품이 되어 간다. 생선이나 그릇과 같은 물건뿐 아니라 건강과 교육, 정보, 안전까지도 상품이 되고 말았다. 시간이 지날수록 개인이 소유한 것에 다른 사람들이 다가가려면 뭐든 돈 주고 사지 않으면 안 되는 세상이 되어 버렸다. 심지어 사람의 시간마저 상품화된 지 오래다.

:: 오늘날 자본가는 시간 단위로 노동을 살 수 있다. 자본가는 노동자에게 임금을 주고 일을 시켜 이익을 얻게 된다. 노동자가 일을 해서 생산하는 가치와 일하고 받는 임금은 차이가 있는데, 그 차이를 잉여가치라고 부른다.

자본주의 사회 이전에 지배계급은 농민들에게 세금이나 공물을 부과하는 것으로 만족했을 뿐 시간까지 통제하지는 않았다. 자본주의 아래에서 지배계급은 공물을 내라고 하지도 않거니와 강제로 일을 시키지도 않았다.

경제 자원을 빼앗긴 사람들은 '자발적으로' 지배계급에게 노동 시간을 넘겨주는 것 말고는 다른 선택권이 없다. 그렇게 함으로써 굶어 죽지 않을 정도의 임금을 받게 되는 것이다.

언뜻 보아 '자발적'인 것 같은 강제를 경제적 강제라고 한다.

카를 마르크스

:: 따라서 자본주의란 일종의 관습이나 법, 정치·경제 제도의 총체로서, 몇몇 사람들이 자원을 독점함으로써 나머지 다른 사람들이 이용하지 못하도록 가로막는 것을 보장하고 정당화하는 하나의 문화라고 정의할 수 있다. 지배계급은 독점한 자원을 이용해 자신들의 부를 축적해 나갔다. 지배계급은 다른 사람들의 노동을 자기 것으로 삼아 상품을 생산하여 시장에 내다 판다. 이렇게 해서 점점 더 많은 부를 축적함에 따라 권력을 유지하고 확대해 나갈 수 있는 것이다.

원시적 축적

자본주의가 나타나기 전에는 거의 모든 사람들이 토지와 가축, 작업 도구 같은 생산수단을 혼자서 또는 이웃과 공동으로 소유하고 있었다. 그때만 하더라도 먹고살기 위해 자신의 노동 시간을 판다는 것은 생각도 할 수 없는 일이었다. 그러지 않고도 살 수 있었기 때문이다.

당시에는 시간이나 노동을 상품이라고 생각하지 않았다. 그러므로 자본주의가 성립하기 위해서는 직접 생산자들한테서 생산수단을 박탈해야 했다. 오랜 과정을 통해 마을 전체가 공동으로 소유하던 자원과 부는 물론이고 내려오는 관습에 따라 스스로 결정하여 살아가는 능력까지도 몰수했다.

이런 몰수 과정을 원시적 축적이라고 한다. 역사를 통해 보면 유럽을 비롯한 곳곳에서 수많은 농민을 경작지에서 추방하여 임금노동자로 만든 과정이 여기에 해당된다.

그런가 하면 전 세계로 확대된 식민지 건설을 통해 원시적 축적이 이루어지기도 했다. 수백 년에 걸쳐 제국주의는 식민지를 야만적으로 수탈했고 복종을 거부하는 민족을 말살하기까지 했다.

원시적 축적은 일반적으로 자본주의 시작 단계에서 나타난 역사적 현상이라고 볼 수 있다. 한편에서는 자본주의란 오랫동안 지속되고 있는 원시적 축적의 과정이며 자본주의 시스템이 끝나지 않고서는 원시적 축적도 사라지지 않는다고 생각하는 사람도 있다.

전 세계로 팽창하는 자본주의

비록 자본주의는 불과 5세기 전 유럽에서 생겨나기 시작했지만 곧 전 세계를 석권했다. 팽창 논리는 끝 간 데 없이 이어졌다.

팽창의 가능성은 자본주의에서 없어서는 안 되는 요소이다. 왜냐하면 팽창함으로써 자본주의가 가진 고유의 위기를 해결할 수 있고, 팽창하지 않는 자본주의는 그대로 무너지고 말 것이기 때문이다.

국민국가

자본주의는 역사상 존재하지 않았던 제도와 사회 형태를 만들어 내고 보급시켰다. 그 첫 발명품 가운데 하나가 바로 국경과 국민(민족)국가다.

단일한 정치권력이 미치는 범위가 국경에 의해 확실히 구분된 지리적 공간과 완벽하게 일치해야 한다는 개념은 자본주의의 발명품이다. 예전에는 이런 국가가 존재하지 않았다.

마찬가지로 국가가 점유한 공간이 나름대로 동질적인 문화와 정체성을 가진 사람들의 집단, 즉 민족으로 채워져야 한다는 사고방식도 그리 오래 된 것이 아니다.

이렇듯 자본주의는 서로 다른 생활 방식과 문화를 가지고 살아온 사람들에게 하나의 언어와 관습이 유일한 정통이라고 강요했다. 이런 과정에서 나타난 것이 국가주의 이데올로기인데, 불과 몇 세기 전만 해도 국가 정체성이라는 개념은 없었다.

에릭 홉스봄

말하자면 국가는 다른 국가 공간에 거주하는 사람들을 식별하기 위해 만들어 낸 것이다. 따라서 국경을 넘는다는 것은 곧 '외국인'이 된다는 것이고, 동시에 스스로 갖고 있던 권리가 상실되고 만다. 이와 같은 획일화와 사람들을 분리시키는 작업은 수세기에 걸쳐 전쟁과 국가의 폭력을 가져오게 되었다.

나는 프랑스인이다.
목숨을 바쳐 조국을 지킨다.

나는 지주다.
목숨을 걸고 재산을 지킨다.

자본주의는 자본가들이 아무런 제약 없이 이용할 수 있도록 통합된 내부 시장을 제공하기 위해 국민국가를 창출해 냈다. 이런 틀은 사람들을 좀 더 효율적으로 지배할 수 있었고 식민지 팽창의 기회를 넓히는 역할도 했다.

제국주의

자본주의 팽창의 두 번째 단계는 15세기부터 나타난 '미지의' 세계를 향한 관심으로 나타났다. 제국주의와 식민지주의를 통해 새로운 자본주의 국가들은 큰 대륙을 하나씩 점령해 갔고, 조상 대대로 살아오던 대륙의 원주민들을 지배하기 시작했다.

국가의 관료와 자본가들이 무려 5백 년에 걸쳐 아메리카 대륙의 금과 은을 약탈했는가 하면, 수백만 명의 아프리카 사람들을 노예로 부렸고, 중국의 노동자와 인도의 농민들을 수탈했다. 이런 어처구니 없는 행위는 이루 헤아릴 수 없을 정도로 많다. 이 같은 식민지 확대 정책을 주도한 것은 다름 아닌 국민국가와 함께한 무역회사들이었다.

제국주의는 또한 세계를 획일화시켜 나갔다. 예를 들어, 식민지 민중들에게 제국의 언어와 문화를 주입시켜 동화시키는가 하면 사람들을 국적이나 종교, 피부색에 따라 차별하기도 했다. 백인이 아닌 사람들은 '열등'하다고 여겼기 때문에 유색인종을 착취하기에 적합한 노예로 삼았다. 결국 제국주의 시대는 인류의 대다수 사람들에게 고통을 준 전쟁과 국가의 폭력으로 얼룩졌다.

세계화

자본주의 확대의 세 번째 단계는 사람들이 글로벌 시대라고 부르는 바로 오늘날이다. 경제의 세계화는 생산이 한층 더 전 지구적으로 통합됨을 의미한다. 시장에 나오는 제품은 하나지만 거기에 들어가는 부품은 세계 각지에서 이른바 초국가적 방식으로 생산된다.

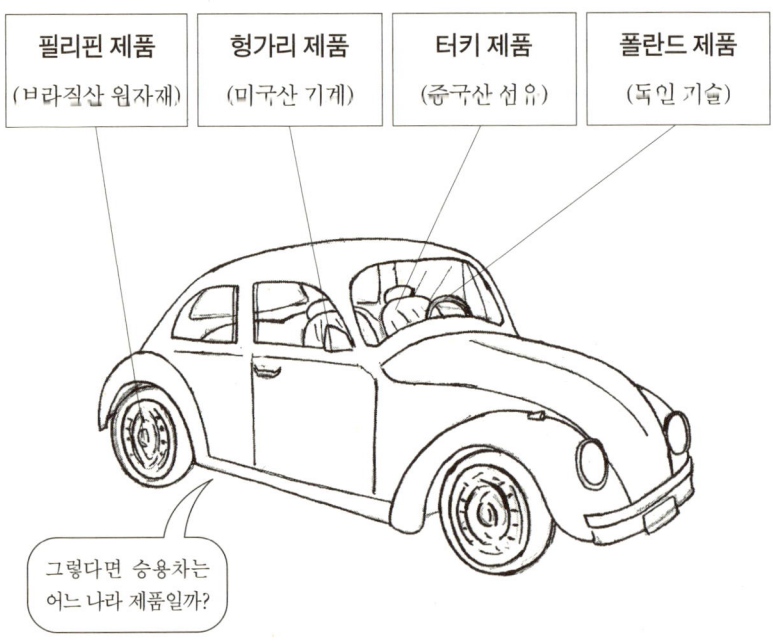

세계화 단계에 이르러 제국주의와 국민국가의 역할이 끝남에 따라 자본주의를 계속 확장하기 위한 새로운 제도와 질서가 생겨나고 있다. 투자자와 초국적 기업들이 국경의 제한 없이 자유롭게 경제활동을 할 수 있도록 전 세계 모든 나라들이 경제 운영뿐 아니라 문화적 기준까지도 표준화(이른바 '글로벌 스탠다드')시켜 나가고 있다.

그런데 국가의 힘만으로는 점점 이런 과제를 해결하기 힘들어졌고 국가가 가지고 있던 권력마저 잃어 갔다. 바로 이때 여러 국가들이 힘을 보태 사람들의 생활을 관리 조절하고 조직할 공공적인 다국적 기구를 만들어 내기 시작했다. 하지만 이름만 국제기구일 뿐 이들은 사실상 사적인 기구에 지나지 않는다.

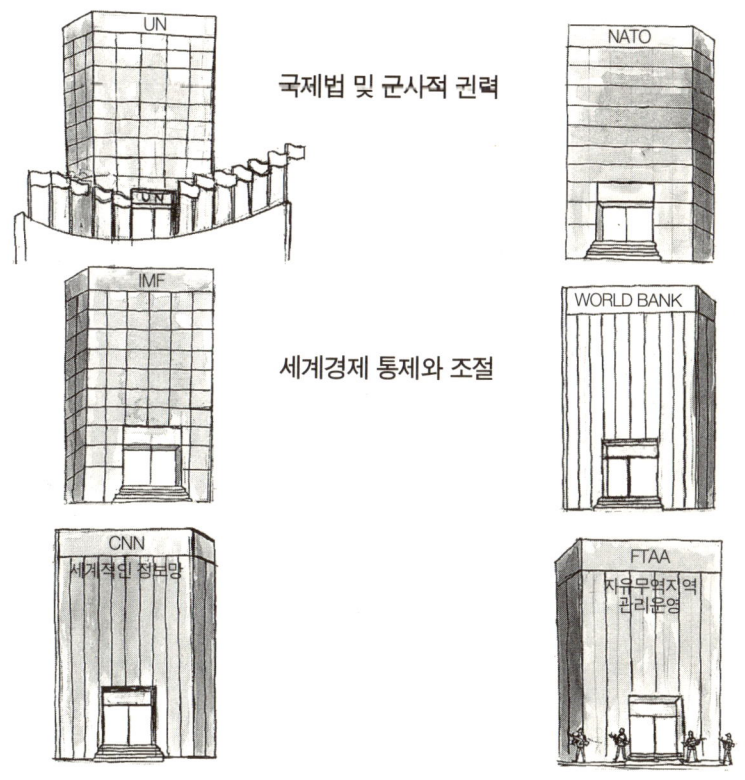

마이클 하트와 안토니 네그리 같은 지식인들은 자본주의가 "국경을 무력화" 시키는 과정을 통해 중심과 주변의 구분이 점점 희미해지는 세계화된 제국이 되고 있다고 말한다.

내부 팽창

자본주의가 비단 외부로만 팽창하는 것은 아니다. 이미 자본주의가 만들어져 있는 곳 안에서도 자신의 영향력을 더 확대해 간다. 강, 바다, 광장, 공원, 학교, 극장, 공연장 등은 하루가 다르게 상품화되어 가고 있다. 우리는 이런 현상이 때와 장소를 가리지 않는 선전과 광고를 통해 점점 확대되고 있는 광경을 볼 수 있다.

날이 가면 갈수록 안전하게 쉴 수 있는 공공장소는 줄어들고, 사유화되고 상품화된 공간 말고는 사람들이 머물 수 있는 곳이 사라질 것이다. 생활 패턴이 바뀌어 공원이나 마을 거리를 산책하는 아주 소박한 즐거움조차도 이제 쇼핑으로 대체되는 현상이 나타나고 있다.

자본주의는 또 공적인 공간이나 자연의 산물을 몰아내고 그 자리에 사적인 공간이나 '가공 상품'으로 채우고 있다. 그 결과 과거에는 누구든지 씨앗을 받아 길러 먹을 수 있던 천연 종자가 유전자 변형을 통해 사라져 가고 있다. 이제 농민들은 아까운 돈을 주고 종자를 사야만 씨를 뿌릴 수밖에 없는 처지다. 들과 산에 있던 농장이 아니라 건물을 지어 '달걀 공장'이나 '채소 공장'에서 나오는 식품을 먹게 되었다. 점점 사람들의 정신과 개인 생활도 축소되고 더 낮은 보수를 받고도 훨씬 강도 높은 일을 하는 데 익숙해져 가고 있다. 우리가 누릴 수 있는 시간이 오직 이윤 창출에만 사용되고 있다고 생각하면 끔찍하지 않은가.

노동 조건이 나빠짐에 따라 개인 생활을 누릴 수 있는 기회를 빼앗기고 있다. 우리는 유행과 경제적 지위라는 환상에 목을 맨 채 직업은 물론 소비나 생활 방식조차도 선택할 수 없는 처지가 되었다. 심지어는 천진난만한 유아기 때부터 우리 아이들의 미래를 결정지으려고까지 애쓰고 있다.

1 우리가 살고 있는 자본주의 사회 37

국가란 무엇인가?

자본주의를 둘러싼 가장 어려운 문제 가운데 하나가 바로 국가가 무엇이며, 어떤 기능을 하고 있는가 하는 점이다. 자본주의에 맞선 사람들은 국가가 '중립적'이지 않으며 늘 지배계급의 편에 서 있다는 것을 벌써부터 깨닫고 있었다.

그러나 20세기에 들어와 국가가 '복지' 정책을 펴게 되면서 이러한 생각은 의심받기 시작했다. 노동자들은, 국가가 자기들 편에서 중요한 법을 제정할 수 있고 심지어 가장 힘 있는 사람들에게도 불이익을 줄 수 있을 것이라고 생각했다. 반자본주의자들 사이에 이 문제를 둘러싼 격렬한 논쟁이 일어났다.

:: 이 혼란스러운 논쟁은 국가와 사회는 서로 별개의 것이라고 여기는 자유주의자들의 생각을 받아들인 데서 비롯되었다. 물론, 각각을 더 잘 이해하기 위해 이 두 가지를 분리하는 것은 상관없지만, 국가는 자본주의 사회를 구성하는 하나의 요소이며, 한나 아렌트의 말처럼 '사회적인' 기능 가운데 하나임을 잊지 말아야 한다.

이윤의 축적과 국가

국가의 기능은 우선 체제의 정당성을 확보하기 위해 장기적으로 경제적인 축적을 보장하는 일이다. 국가가 없다면 개인으로서 자본가는 안정적인 이윤 축적을 보장받을 수 없게 된다. 예를 들면, 국가가 규제하지 않는다면 수산업 회사들은 세상의 모든 물고기가 바닥이 날 때까지 수확하려 들 게 뻔하다.

눈앞의 이익만 좇는 자본가의 태도는 세상에 있는 모든 것을 동나게 할 것이다. 따라서 장기적인 이윤 축적을 보장하기 위해 자본주의 국가는 경제를 규제할 수밖에 없다. 언뜻 보아 이러한 국가의 규제 조치는 개별 자본가들의 이익을 침해하는 것 같지만, 실제로는 전체 자본가 계급의 이익을 보장해 주는 것이다.

정당성 확보

자본주의는 끊임없이 계급투쟁의 위협을 받고 있기 때문에 국가는 자본주의 사회의 정당성을 확보하기 위한 임무를 수행해야 한다. 만약 수많은 사람들이 자본주의 사회의 정당성을 의심한다면 자본주의는 아주 쉽게 무너져 버릴 것이기 때문이다. 그 정당성 획득에 실패를 한다면 국가는 사실상 억압만을 담당하는 곳이 되고 만다. 오로지 억압에만 의존한다면 그 어떤 사회가 오래 지속될 수 있겠는가. 그렇기 때문에 국가는 항상 자본주의의 정당성을 확보하고 증명하지 않으면 안 된다.

국가의 두 얼굴

이런 까닭에 국가는 어떤 희생을 치르더라도 표면적으로는 계급 중립성을 유지하려고 애쓴다. 비록 본질이 '자본주의 국가'일지라도 겉으로는 어떤 권력으로부터도 자유롭고 독립적이며 자율적인 것처럼 보이지 않으면 안 된다. 그래서 대부분의 경우 국가는 일시적으로 권력자들의 이익에 어긋나는 법을 제정하기도 한다. 이렇게 해서 겉으로 드러나는 중립성 때문에 사람들은 국가의 본질을 제대로 보지 못하는 경우가 많다.

국가는 사회의 기능 가운데 하나다

국가가 사회의 기능 가운데 하나라고 말하는 것은 곧 국가와 사회가 서로 분리될 수 없다는 것을 뜻한다. 비록 국가가 사회의 특별한 부분이라고 할지라도, 사회는 또 국가 없이 존재할 수 없다. 사회의 중요한 부분으로서 국가는 스스로 속해 있는 자본주의 사회의 형태를 반영하게 된다. 사회의 변화는 국가의 변화를 수반하며, 거꾸로 국가의 변화는 일반적으로 사회의 변화를 의미한다. 사회 곳곳에서 늘 계급투쟁이 일어나고 있는 것처럼 국가에도 마찬가지로 투쟁이 일어날 수밖에 없다. 예를 들면, 국가가 하루 8시간 노동제를 채택한다면 그것은 단지 국가가 변했기 때문이라기보다는 사회 자체가 변화되었기 때문이라고 보는 게 맞다.

단기적으로 자본가들의 이익에 반하는 8시간 노동제는 20세기에 들어와 노동자들이 지배계급에 맞서 싸워 쟁취한 가장 큰 성과였다. 국가는 반자본주의자들의 단결된 투쟁에 떠밀려 위태롭던 체제의 정당성을 지키기 위해 이런 제도를 시행할 수밖에 없었던 것이다.

국가는 사회로부터 나온다

지금까지 살펴본 대로, 비록 그 목표와 행동 방식이 서로 다르긴 하지만 전통적 좌파가 국가에 관해 얘기해 온 것은 이치에 맞다. 분명 국가는 중립적이지 않거니와 국가가 속한 사회가 자본주의라면 국가는 자본주의에 맞게 편성될 수밖에 없다. 사회와 비교해 보면 국가에 '자율성'이라고는 전혀 없다.

그렇다고 해서 국가가 그저 자본가들의 입맛에 맞게 이용되는 하나의 도구일 뿐이라는 주장은 사실과 다르다. 왜냐하면, 계급투쟁을 통해 국가의 여러 중요한 형태와 기능들을 바꾸어 낼 수 있기 때문이다. 이것은 사회의 여러 다른 측면들을 바꿀 수 있는 것과 같은 이치라고 보면 된다. 국가는 그것이 속한 사회로부터 파생되었으며, 계급투쟁 과정에서 사회가 형성되는 방식에 따라 국가의 형태가 결정되는 것이다.

국가는 완벽하게 설계하여 조립한 기계가 아니다. 정치 제도나 법률 등은 그 국가에서 일어난 사회적 투쟁의 역사 속에 남은 퇴적물이다. 또 국가 기구의 다양한 측면은 부르주아적인 질서의 억압에 저항한 투쟁의 역사가 새겨져 있는 제도적 화석이라고 볼 수 있다.

존 할러웨이

분리하고 위계질서를 만드는 기계

한편으로 자본주의 국가는 사람들을 서로 분리하고, 그들이 갖고 있는 권리들을 계층화하는 기계라고 할 수 있다. 우선 국가는 사람들이 가지고 있는 정치적 주권에 차이를 둔다. 이를테면, 사람들을 국경으로 구분되는, 서로 다른 정부 아래에 있는 국민들로 나누어 버린다. 우리가 속한 국가의 테두리 안에서는 시민으로서 정치적 권리를 가지지만 국경을 넘어가는 순간 우리는 모든 권리를 잃게 된다.

오늘날 국가가 어떤 사람을 외국인이라 규정해 버리면 그들은 자유롭게 나라 안을 이동할 수 없다.

세계화된 사회, 제한된 권리들

자본주의 특유의 국가주의 이데올로기는 사람들에게 사회가 국가라는 공간과 완벽하게 일치한다는 관념을 갖도록 한다. 하지만 사회라는 것이 사람들이 자연과 결합하여 만들어 낸 관계의 총체라고 한다면, 분명 이러한 관계들은 우리가 살고 있는 국가의 경계에 구속되어서는 안 될 것이다.

인식하지 못하더라도 우리는 모두 서로 연관되어 있다. 좋은 것이든 나쁜 것이든 상관없이 생산물, 상업, 유통, 유행, 문화 등 전 지구적 공간에서 살고 있는 사람들을 서로 연결시켜 준다.

'프랑스 사회' 또는 '페루 사회'라고 하면 마치 이들이 서로 독립적이고 전혀 관계없는 사회라고 생각하기 쉽지만 실제로 이 둘은 분리된 채 존재 하는 것이 아니다. 우리가 살고 있는 모든 사회는 전 지구적으로 상호 의존적일 수밖에 없다.

:: 국가는 지구촌을 지리적으로 나누고, 사람들을 특권계급과 억압받는 자들로 분리시킨다. 국가의 기능 가운데 하나는 바로 국경으로 사람들의 권리를 제한함으로써 전 지구적 사회의 움직임을 바꿀 수 없게 만드는 것이다.

공적인 것과 사적인 것

국가가 주도하는 두 번째 분리 작업은 바로 공적인 영역과 사적인 영역을 나누는 것이다. 자본주의 사회의 법체계에는 사회가 '관여할' 수 없는 사회생활 영역이 분명히 규정되어 있다. 사적인 영역이기 때문이라는 것이다. 어느 누구도, 심지어 국가조차도 개인의 프라이버시(사적인 권리)에 관해서는 법적으로 개입할 수 없다. 이것 자체는 나쁜 게 아니지만, 문제는 자본주의에서는 오직 몇 가지 권리만이 사적인 것이라고 해서 특권층이 보호를 받고 있다는 사실이다.

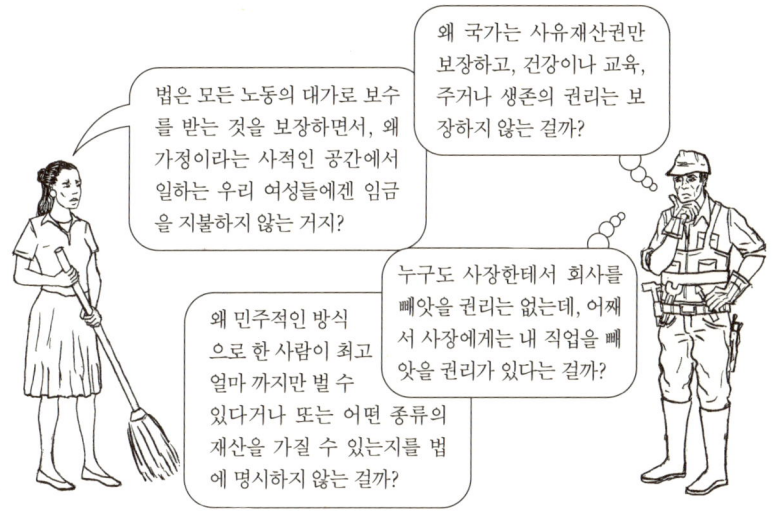

단순한 고충과 권리, 또는 공적인 영역과 사적인 영역을 구분하는 기준은 고정된 게 아니라 역사와 함께 변해 왔다. 수백 년 전부터 사람들은 사적인 사회가 특권을 보호할 것인지 말 것인지를 민주적으로 결정할 수 있도록 하기 위해 투쟁해 왔다.

그렇다면 바꾸면 될 것 아닌가?

우리는 민주주의 세상에서 살고 있습니다. 사람들이 진정으로 변화를 원한다면 모든 걸 바꿀 수 있지요.

    자본주의는 대다수 사람들에게 고통을 주는 불공정한 사회 조직 형태라고 앞에서 이미 얘기했다. 이런 사회는 빈곤과 착취가 판을 치고 사람들을 수동적으로 만들어 잠재력을 제한시키고, 온갖 차별뿐 아니라 '공권력'을 앞세워 공포심까지 조성한다. 나아가 시민의 기본적인 권리들을 침해하고 지구 환경까지 파괴한다. 반자본주의자들은 오래전부터 이런 주장을 해 왔다. 그렇다면 어째서 우리는 이 모든 잘못을 바꾸지 못하는 걸까?

가짜 민주주의

실제로 우리는 가짜 민주주의 사회에서 살고 있다. 19세기에 민주주의를 요구하는 투쟁을 시작했을 때만 해도 사람들이 원한 것은 '민중의 정부'였다. 그런데 당시 자유주의 엘리트들은 민주주의라는 사상에 반발했고 자유주의는 줄곧 민주주의의 적이 될 수밖에 없었다.

그러나 수십 년 동안 이어진 투쟁 끝에 엘리트들은 사회적 지위에 상관없이 모든 사람에게 투표권을 줄 수밖에 없음을 깨달았다. 자유주의자들은 '민주주의'라는 말을 마치 자신들 것인 양 떠들지만, 그 참뜻을 통째로 왜곡시켰다. 민주주의는 더 이상 '민중의 정부'를 뜻하는 말이 아닌, 단지 정부에서 자리를 차지할 사람을 뽑는 선거제도 정도로 전락해 버렸다.

민중 없는 '민주주의'

오늘날의 민주주의 정부는 사실상 민중의 정부라고 할 수 없다. 우리가 선거로 뽑는 대표자들의 권한은 그 범위가 매우 좁다. 그 권한은 단지 국내에서 일어나는 일과 우리가 공공적인 것으로 규정한 것에만 국한되어 있다. 예컨대 우리들의 일상생활에 엄청난 영향을 주는 자본의 국제 이동 같은 것은 전 지구적 공간에서 일어나는 일이어서 국내 권력으로는 손을 써 볼 수 없는 영역일 뿐이다. '민주주의'의 힘이라는 게 국경을 넘어설 수 없기 때문이다. 또한 자유주의 이데올로기에 바탕을 두고 제정된 각 나라의 헌법은 '사적인 문제'라 규정한 일들에 영향을 행사할 수도 없는 실정이다.

예를 들어, 어떤 제약 회사가 사람의 생명을 구할 새로운 약을 개발하여 특허를 받았다고 생각해 보자. 그 회사가 약값을 터무니없이 비싸게 매겨 가난한 사람들이 그 약을 살 수 없다고 해도, 그 일은 사적인 영역에 속하는 문제이기 때문에 국가가 개입해서는 안 된다는 논리가 성립되고 만다.

자본의 독재

권력자들은 이른바 합법적 수단을 통해서 정치적 결정에 크게 영향을 줄 수 있는 거의 모든 자산을 가지고 있다. 이를테면 선거 자금을 지원하거나 신문과 방송을 지배하기도 하고, 심지어는 정치적 결정을 좌우하는 뇌물이나 불법 정치자금 같은 수단도 활용한다.

한편 역사를 살펴보면 민주주의와 정치적 자유는 정치가들이나 정치 운동이 지배계급의 이익을 거스르는 방향으로 나아갈 때 파국을 맞곤 했다. 칠레에서 합법적으로 선출된 살바로드 아옌데 대통령의 사회주의 정부를 1973년에 쿠데타로 무너뜨린 사건이 바로 그런 경우다. 당시 칠레의 지배계급이던 군부와 자본가들은 미국 정부의 지원 아래 칠레 사회의 고귀한 민주주의를 짓밟았다.

:: 우리는 참된 민주주의 아래에서 살고 있다고 말할 수 없다. 단지 우리가 할 수 있는 거라고는 몇몇 정치가를 선출하고 아주 사소한 결정이나 할 뿐, 실제로는 자본의 독재 아래에서 살고 있다고 할 수 있다.

지배계급의 헤게모니

그러나 문제가 단순히 현실에서 민주주의가 결여되어 있기 때문에 일어나는 것만은 아니다. 지배계급이 속임수를 부리거나 억압을 통해서만 민중들을 지배하는 것이라고 볼 수 없기 때문이다. 실제로 지배계급의 거대한 힘은 무엇보다 자신들의 이데올로기를 우리 일상 속에서 문화와 상식으로 변화시키는 데 있다.

억압받는 자들의 동의를 얻어 냄으로써 지배계급은 헤게모니를 잡게 된다. 지배계급의 언어를 사용하고 지배계급의 눈을 통해 사물을 보게 될 때, 바로 그곳에 헤게모니가 있는 것이거든.

안토니오 그람시

그람시 선생, 나는 거기에 한 가지 더 추가하겠습니다. 선생이 말한 점뿐 아니라 지배계급의 힘은 우리가 무의식적으로 행동하는 일상 습관에도 깊이 파고들어 내면화시킨다고 볼 수 있지요.

미셸 푸코

자네 말이 옳긴 하지만 너무 극단적으로 생각하지 말자고. 언제나 대항 헤게모니를 만들 수 있는 공간은 남아 있는 법이니까.

자본주의 이데올로기

자본주의는 지배 이데올로기를 통해 유지되고 있다. 여기서 이데올로기라는 것은 어느 정도 잘 정립되고 다듬어진 사상의 총체라고 볼 수 있다.

카를 마르크스

자유주의가 주장하는 내용은 대강 이렇다. "사회란 천부적인 권리를 타고나는 개인으로 이루어져 있다. 개인의 권리는 민중의 주권보다 중요하므로 어떤 사회적 결정도 개인의 자연권을 침해해서는 안 된다. 사회든 국가든 최소한의 권리만 행사해야 하며, 개인을 침해하지 않은 범위에서 개인이 하고자 하는 것은 뭐든 하도록 내버려 두어야 한다. 국가는 오직 법을 어겼을 경우에만 개입할 수 있고 기본적인 서비스를 제공할 수 있을 뿐이다." 그런데 자유주의 이데올로기의 본질은 "이건 이렇고, 저건 저렇다" 하고 주장하는 내용 속에 있는 게 아니라 겉으로 드러나지 않은 곳에 감춰져 있다.

1 우리가 살고 있는 자본주의 사회 51

다시 말해서 이론적으로야, 모든 사람이 천부적 권리를 누려야 한다고 주장한다. 하지만 이러한 권리가 현실에서 불평등하다는 사실에 대해서는 이야기하지 않는다. 이론적으로는 누구든지 땅 한 뙈기를 가질 권리가 있다고 하지만, 누군가 모든 땅을 소유해 버린다면 이 권리는 사실상 아무런 의미가 없는 것이 된다. 또 누군가 모든 곡식을 독점하여 다른 사람들이 굶어 죽을 처지에 있다고 할지라도 어떠한 법도 이런 생존권을 지켜 주지 않는다. 자유라는 것이 누구나 자신이 하고 싶은 일을 방해받지 않고 자유로이 할 수 있는 권리를 뜻하지만, 그런 권리가 있다고 해서 모든 사람들에게 자신의 꿈대로 하고픈 일을 할 수 있는 기회가 있는 것도 아니다. 언론의 자유라는 것도, 몇 안 되는 사람들이나 집단이 대부분의 신문사와 방송 채널을 장악하여 움직이고 있다면 무슨 의미가 있는 걸까?

사실, '천부적' 권리라는 것은 애초부터 없었습니다. 모든 권리는 역사를 통해 사회적으로 형성되었을 뿐이지요. 자유주의자들이 말하는 개인의 권리라는 것은 현실에서 가진 자들의 권리를 의미하는 것입니다. 이게 바로 부르주아 이데올로기의 핵심인 거지요.

카를 마르크스

개인주의, 자본주의 문화

지배계급의 헤게모니는 그들의 이데올로기가 대다수 사람들의 일반적인 문화나 '상식' 속에서 받아들여질 때 비로소 그 힘을 발휘한다. 자본주의는 사람들의 생각과 마음속까지 파고 들어가 있기 때문에 우리는 일상생활에서 자연스럽게 자본주의 문화를 받아들이고 살아간다.

자유주의 이데올로기인 개인주의는 일상 문화가 되어 오늘날 널리 퍼져 있는 자기중심주의 형태로 나타나고 있다. 개인주의는 사람들을 서로 소외시키고 저마다 자기 관심을 사적인 영역에 머물게 만들고 고립시킨다.

우리 사회에 흔히 나타나는 폭력이나 공포는 대부분 이런 이기심과 다른 사람을 딛고 오르려는 충동에서 나온다고 할 수 있다. 사람들은 때때로 이웃이나 동료를 경계하기도 한다. 심지어는 사람들을 보면서 그들이 자신의 이익을 위해 나를 이용하거나 해칠 거라고 생각하기도 한다. 이런 문화는 다른 사람을 이해하거나 배려하지 못하게 함으로써 서로 연대할 수 없게 만든다.

성공지상주의, 소비만능주의

우리 문화를 잘 살펴보면 돈만 있으면 온갖 권리를 다 누릴 수 있다는 생각이 널리 퍼져 있다. 생산성이라는 신앙, 경제적 성공을 향한 질주, 효율성, 경쟁과 소비주의 따위가 그러한 생각을 잘 보여 준다.

자기 이익을 위해 다른 사람을 수단으로 삼는 행위까지 포함해서 '성공' 하기 위한 자원을 갖고 있지 않다는 두려움이 오늘날 우리 문화의 큰 특징을 만들어 낸 기원이라고 할 수 있다. 예를 들면, 가난한 사람을 업신여기거나 백인이 아닌 외국인을 무시하는 행위를 비롯한 모든 종류의 차별은 사실상 여기에서 유래한다. 이러한 문화 속에서 자라난 개인은 사랑, 우정, 동료애, 창의성 같은 가치를 중요하게 생각할 수가 없다.

현실 순응주의와 수동적 태도

이 세상에 의심할 나위 없이 '자연스러운' 질서가 존재한다는 자유주의 사상은 현실 순응주의와 수동적 태도로 고스란히 나타나게 된다. 우리는 어릴 적부터 복종을 중요하게 생각하는 교육을 받아왔기 때문이다.

체제를 유지하기 위해서라도 자본주의는 늘 자기중심적이고 차별적인 가치관을 전파해야 할 필요를 느끼고 있다. 그래서 교육, 문학, 광고나 대중매체를 통해 일상적으로 그러한 가치관을 퍼뜨리고 있다. 하지만 자본주의 가치관은 노골적 방식이라기보다는 늘상 무의식적이고 자발적인 형태로 전파된다. 이런 일은 자본가들이 지배하고 있는 문화적 수단들을 통해서 이루어지기도 하지만 무엇보다 자본주의 문화는 우리 모두에게 내면화되어 있다고 볼 수도 있다. 자녀의 장래에 대한 지나친 기대나 소비 행위, 또는 일상에서 쓰는 언어 등을 통해 우리 스스로가 그런 문화를 계승하고 전달하는 셈이다.

자본주의는 완벽한 체제인가

자본주의가 우리의 머리나 뼛속까지 깊이 침투해 있다면 혹시 자본주의가 정말로 완벽한 체제인 것은 아닐까? 자본주의에서 벗어날 수 있는 방법은 도무지 없는 것일까?

우리 모두가 자본주의에 물들어 있고 어느 정도까지는 그 방식에 따라 삶의 형태가 만들어진다고 해서 우리가 자유로워질 수 있는 방법이 없는 건 아니다. 그 어떤 억압적 체제도 영원할 수는 없다. 모든 억압에는 늘 저항이 뒤따르게 마련이기 때문이다.

자본주의는 언제나 문화적 주도권을 강화하기 위한 방법과 조직을 짜내려고 애쓴다. 왜냐하면 그 반대편에서 자본주의의 지배와 억압에서 벗어나기 위해 끊임없이 다른 삶의 방식이나 새로운 가치관을 만들어 가고 있기 때문이다.

2
저항을 넘어 반자본주의로

반자본주의의 가장 큰 과제는 바로
"우리의 끝없는 저항운동을 어떻게 하면 자본주의를 송두리째
뿌리 뽑을 수 있는 힘으로 바꿀 수 있는가" 하는 점이다.

반자본주의자들은 그 짧은 역사를 통해 이미 여러 가지 해답을 제시해 왔다.

반자본주의가 나타나기까지

반자본주의만 놓고 보면 그 역사는 200년밖에 되지 않지만 넓은 안목으로 본다면 그런 생각은 훨씬 더 오랜 역사를 통해 나타난 결과라고 할 수 있다. 자본주의에 대한 저항은 아득히 먼 옛날부터 이어 온 기나긴 투쟁 전통을 상속받았기 때문이다. 저항의 역사는 억압의 발생만큼 오래된 일이다. 억압받고 착취당하는 사람들은 자본주의가 출현하기 훨씬 전부터 저항을 계속해 왔고 이런 투쟁을 통해 낡은 사회가 무너지고 새로운 사회가 등장하곤 했다.

노예들은 언제나 도망을 치거나 반란을 일으켰으며, 때로는 사회를 근본적으로 변화시키기도 했다. 고대 그리스 사람들은 귀족들에 맞서 싸워 민주정치를 일구어 냈다.

농민들은 동서고금을 막론하고 봉기를 일으켜 봉건 영주나 관리들의 권력을 약화시켰다. 중세 도시의 주민들은 귀족이나 교회, 왕실의 횡포에 맞서 특권을 폐지하고 자치권을 얻을 때까지 싸우기도 했다.

세상 모든 사람들은 저항을 통해 새로운 권리를 획득하는 법을 배웠으며, 권력으로부터 자신들을 보호할 수 있는 새로운 방법을 찾아냈던 것이다. 억압에서 벗어나기 위해 저항하는 과정에서 새로운 신념이나 사상이 생겨나고 때로는 기존의 것들이 아주 새로운 방법으로 재창조되기도 했다.

예를 들면, 어떤 이들은 세상의 모든 고통을 겪은 후에 찾아온다는, 행복하고 인간의 존엄성을 누릴 수 있는 세상을 기다렸다. 또 어떤 이들은 계급에 따른 차별 없이 모든 인간에게 평등하게 은혜를 베푸는 신이 있다고 상상하며 위안을 얻기도 했다.

시간이 지나 중세에 이르자 농민운동은, 죽고 난 다음 세상이 아니라 지금 살아가고 있는 세상에서 모든 인간을 위한 사랑의 땅이 신의 가호로 만들어질 것이라는 믿음으로 발전했다.

이런 신념은 사람들에게 자신감을 심어 주어 저항을 계속할 수 있도록 힘을 불어 넣었다. 동시에 그들이 원하는 삶의 방식에 대해 고민하는 계기가 되기도 했다. 그 뒤를 이은 새로운 세대들도 이러한 신념이나 이념을 체득했고 자신들의 상상력과 투쟁의 필요에 따라 재구성할 수 있었다.

2 저항을 넘어 반자본주의로 59

휴머니즘 '혁명'

13세기부터 16세기까지 유럽에서 거대한 문화적 변화가 일어나면서 저항운동은 새로운 국면을 맞이하게 된다. 그때까지만 해도 사람들은 인간 세상에 일어나는 일들은 모두 오직 전능한 신의 힘에 의해서만 정해진다고 믿고 있었다. 세상 이치는 신성한 의지에 따른 것이므로 인간으로서는 그 뜻을 전혀 알 수 없다는 믿음이 자리하고 있던 시대였다. 이러한 믿음은 자연스럽게 사제나 귀족 또는 왕들의 권력을 정당화하는 역할을 했고, 지배층은 인간의 사회적 신분이 다름 아닌 신의 뜻에 따른 것이라고 주장했다. 심지어는 실제로 권력에 저항하는 사람들조차 변화란 바로 신의 전지전능함과 신성한 의지에서 나오는 것이라고 믿을 정도였다.

그런데 13세기에 이르자 몇몇 사상가들이 비로소 소극적이나마 "이 세계는 인간의 것이다"라고 주장하기 시작했다. 인간은 '이성'을 통하여 세계를 알 수 있고 변화시킬 수 있으며, 나아가 스스로의 운명을 결정할 수 있다는 사실을 조금씩 받아들이기 시작한 것이다.

르네상스 시대 예술과 과학이 꽃피기 시작하는 가운데 "삶의 주인은 바로 인간이다"라고 선포했다.

근대로 넘어오는 시기에 지식은 전지전능한 신의 영역에서 인간의 영역으로 옮아갔고, 그 결과 그러한 지식의 성격도 행동이 뒤따르는 실천적인 것으로 변화하게 되었다. 이런 변화는 사회의 밑바닥을 흔드는 문화 혁명이었다.

안토니오 네그리

신의 영향력이 점점 약해질수록 인류는 스스로에 대한 자신감을 갖게 되고 전보다 창조적인 능력과 의사결정 능력을 키우게 되었다. 두말할 필요 없이 이러한 일종의 정신 혁명은 정치 영역으로 확산되었다.

이런 상황이 되자 여러 사상가들은 나름대로 '이성적'이고 '과학적' 원리를 통해 복종을 강화시키려 애썼다. 하지만 이미 되돌릴 수 없는 시대가 되어 버렸다. 사람들은 오래된 관념을 조금씩 벗어나고 있었고 스스로의 손으로 새로운 세상을 만들 수 있다고 깨닫기 시작했다. 1440년 인쇄술이 발명되고 장거리 여행이 활발해지면서 이런 변화는 속도를 더했다. 세계 곳곳에 떨어져 살아온 다른 사회 계층들 사이에 서로 통신과 소통이 수월해지고 사상이나 희망을 전달할 수 있게 되었다.

유토피아 사상

휴머니즘 혁명이 진행되는 가운데에도 자본주의의 발전은 유럽 사람들 뿐만 아니라 세상의 다른 민중들에게도 새로운 형태의 억압을 일삼고 있었다. 자본주의가 발전하면 할수록 저항의 강도는 점점 더 격렬해졌고 완전히 다른 새 세상에 대한 꿈도 커져 갔다. 16세기는 대규모 봉기와 혁명의 시대였는데, 이 시기에 또 다른 세상을 꿈꾸는 새로운 시도가 이어졌다.

16세기 초 독일 농민들은 토마스 뮌처가 주도한 성서(聖書) 역사 해석에 바탕을 두고 거대한 봉기로 떨쳐 일어섰다. 농민들은 종교결사 같은 조직을 만들었으며 사유재산을 인정하지 않았다. 이 같은 결정이 초기 기독교인의 삶이었을 거라 상상했던 것이다. 농민전쟁은 완전히 진압되었으나 그 경험과 기억은 세대에서 세대를 거쳐 전승되었다.

토마스 뮌처

농민들은 토머스 모어나 캄파넬라가 그려 낸 '유토피아' 사상에서 영감을 얻기도 했다. 이들은 사유재산이나 돈 없이 모든 인간이 평등하게 살아가는 상상의 도시를 생각했다. 한편 여행가들이 먼 땅에서 평등하고 자유로운 삶을 살아가는 사람들에 대한 이야기들을 가져오기도 했다.

한편 더 나은 세상을 만들기 위한 모델을 찾아 인류의 먼 과거로 거슬러

18세기 계몽주의 철학자들은 이성의 힘을 바탕으로 사회를 개혁하거나 완전히 새로운 사회 체제를 건설하자고 제시했다.

올라가기도 했다. 고대 아테네 민주정치는 많은 사람들에게 더 나은 세상을 그려 내기에 좋은 재료가 되었다. 19세기 낭만주의자들은 아직 자본의 억압이나 비인간적인 공장의 끔찍한 현실이 나타나지 않았던 중세의 삶에서 영감을 찾으려고도 했다.

 이 모든 역사와 신화, 사상은 지리적 공간이나 계급을 넘어 오랜 시간에 걸친 집단적 상상 과정을 통해 계승되었다. 17세기 중반 유럽에서 시작된 혁명들은 이러한 과정을 증폭시키는 역할을 했다. 저항운동은 또 하나의 세상을 꿈꿀 수 있는 원동력이 되어 해방을 위한 새로운 싸움을 만들어 내게 되었다.

영국혁명 — 혁명 전통의 탄생

1648년에 일어난 영국혁명은 왕실을 전복하고 국왕 찰스 1세를 왕위에서 끌어내 교수대에 올린 사건이다. 그 뒤로 몇 년 동안 영국은 공화국 체제로 운영되었다. 애초에 엘리트들 사이의 내분으로 시작해 곧 '평민'이 가세함으로써 혁명으로 발전했다. 농민과 도시의 수공업자, 노동자뿐 아니라, 당시 '주인 없는 인간'으로서 아직 사유화되지 않은 땅에서 나름대로의 방식으로 살아가고 있던 사람들 모두가 당시 사회 체제에 불만을 갖고 있었다. 혁명은 정치적 논쟁에 불을 지르는 장이 되었고 많은 사람들은 갖가지 억압에 문제를 제기하는가 하면 근본적인 변혁을 요구하기도 했다.

가장 급진적인 세력은 결국 진압되었지만 혁명 후 왕실이나 귀족의 권력은 더 이상 예전 같을 수 없었다. 급진파의 주장은 살아남았고 이어진 혁명을 통해 자유와 평등이라는 이상은 새로운 형태로 다시 태어났다.

프랑스혁명 — 자유와 평등의 깃발

영국혁명에 뒤이어 다른 나라에서도 혁명이 일어났다. 1770년부터 여러 나라에서 일어난 봉기는 혁명의 연쇄작용이라고 할 만하다. 무엇보다 1789년에 일어난 프랑스혁명은 해방을 향한 전 세계 사람들의 희망이 가장 강렬하게 타오른 혁명이었다. 18세기 내내 프랑스에서는 새로운 사상들이 날카로운 논쟁을 거듭하고 있었다. 이 무렵이 바로 계몽주의 시대다.

혁명은 왕의 횡포에 반대하는 귀족들의 항의로부터 시작되었지만, 곧 상인, 수공업자, 전문직, 농민, 도시 빈민, 숙련공 등 여러 사회계층이 참여하게 되었다.

프랑스혁명은 인권을 보장하는 헌법에 따라 왕의 권력을 제한하고 봉건적 특권을 폐지하는 것으로부터 시작되었다. 그러나 이 정도로 사람들 대다수가 품고 있던 변화에 대한 열망을 잠재울 수는 없었다.

가장 과격한 자코뱅파(Jacobins) 혁명가들은 어떻게 하면 민중들의 지지를 얻을 수 있는지 잘 알고 있었다. 1793년 프랑스 국왕 루이 16세가 단두대에서 처형되었고 자코뱅 정부는 인민주권을 선포하기에 이른다. 이때 비로소 근대 민주주의가 탄생했다. 그러나 이러한 급진적 변화에 대해 반동작용이 일어나는 데는 시간이 그리 오래 걸리지 않았다. 이듬해 자코뱅파는 온건파들에게 쫓겨나고 만다(테르미도르 반동). 그럼에도 혁명이 만들어 낸 여러 변화들을 되돌릴 수 있는 건 아니었다. 민중의 정부에 대한 염원과 대중들의 정치 참여, 평등에 대한 열망은 고스란히 남았다.

혁명의 메아리 — 반인종주의, 민족자결, 페미니즘

프랑스혁명은 세계 곳곳에 사는 사람들의 상상력에 불을 댕겼다. 프랑스에서 이루어 낸 변혁은 순식간에 다른 나라로 퍼져 나갔고, 혁명의 메시지는 해방을 위한 투쟁에 새로운 지평을 열었다. 이제 많은 사람들은 자유와 평등, 박애뿐 아니라 인종, 제국과 식민지 그리고 양성평등 문제로 싸움의 영역을 넓혀 가기 시작했다.

1804년 프랑스 식민지인 산토도밍고(Santo Domingo, 카리브 해에 있는 오늘날의 아이티)에서는 흑인과 물라토들이 독립을 선언했다(아이티혁명).

자본주의는 아프리카에 뿌리박고 살아가던 사람들을 데려가 대농장에서 일을 시켰다. 잡혀간 사람들은 이런 억압에 맞서 여러 방식으로 저항해 왔는데, 1789년 프랑스혁명이 이런 저항에 기폭제가 되었던 것이다.

투생 루베르튀르

투생 루베르튀르는 포로로 잡혀 가 1803년 프랑스 감옥에서 죽었다. 그러나 소수자 해방과 인종 간의 평등을 향한 그의 투쟁은, 뒤에 여러 식민지 민중의 민족해방 열망과 마찬가지로 거스를 수 없는 역사의 강물이 되었다. 이러한 자유와 평등에 대한 이상은 민족들 사이의 관계에까지 발전하여 여러 민족은 저마다 스스로의 운명을 결정한다고 선포했다.

한편, 여성들도 이와 같은 자유, 평등, 박애가 비단 남성에게만 국한되어서는 안 된다는 사실을 깨닫기 시작했다.

우리 여성들도 남성과 똑같은 권리를 가지고 있다. 여기에는 사생활뿐 아니라 공공의 삶도 포함된다. 우리는 투표권은 물론이고 정치적 대표로 선출될 수 있는 권리와, 교육을 받고 재산을 소유할 수 있는 권리를 원한다. 우리가 원하는 것은 평등이다!

올랭프 드 구주

비록 1793년 단두대에서 처형되었지만, 많은 여성들이 올랭프 드 구주가 남긴 업적에 따라 여성의 권리를 쟁취하기 위한 투쟁을 계속했다. 구주의 〈여성과 시민의 권리 선언〉은 인류 역사에서 페미니즘 운동이 탄생하는 데 중요한 열쇠가 된 건의서다.

프롤레타리아트의 탄생

혁명이 진행되는 와중에도 자본주의는 유럽 사회의 생산양식에 엄청난 변화를 가져왔다. 산업혁명은 노동자의 삶을 완전히 바꾸어 놓았고 이제 새로이 세상의 대다수를 차지하게 되는 프롤레타리아트가 등장했다.

그 당시 남성은 물론이고 여성, 심지어 어린애들까지도 형편없는 보수를 받으며 비참한 노동 환경 아래에서 하루 14시간이라는 장시간 노동에 시달렸다. 공장에서 나오는 매연과 산업 폐기물은 물과 공기를 오염시켰다. 공해는 특히 가난한 사람들이 사는 지역에서 더욱 심각했다.

노동자들은 점차 자신의 조직을 만들기 시작했다. 협동조합과 노동조합을 결성했고 노동 조건을 개선하기 위해 파업을 벌이기도 했다. 또한 자본주의의 비참한 생활에서 벗어나 새로운 사회를 건설하려는 꿈도 함께 키워 가고 있었다. 하루하루 투쟁을 실천하는 가운데 노동자들은 새로운 세상에 대한 집단적 상상력이라는 기나긴 역사적 유산도 발견했다. 노동자들은 자신의 경험에 창조성을 보태 그 유산을 재정립하고 새로운 요소들을 더해 갔다.

사회주의 전통이 생겨나다

사회주의는 역사상 처음으로 나타난 반자본주의 운동이라고 할 수 있다. 사회주의자들은 자본주의를 모든 사회악의 근원으로 보고, 모든 억압이 사라지는 새로운 세상을 어떻게 만들고 운영해 갈 수 있는가를 고민하기 시작했다.

그때는 유럽 전체가 격동의 시대를 맞이하고 있었다. 보통선거권을 쟁취하려는 투쟁, 몇몇 나라에서 일어난 민족자결권에 대한 투쟁 등과 함께 노동자들의 동요가 점점 커져 감에 따라 혁명의 기운이 고조되고 있었다.

처음에 사회주의는 상당히 불안정하고 산만한 운동이었다. 정당이나 구체적인 계획, 하물며 잘 정리된 사상조차도 없었다. 딱히 뭐라고 부를 만한 이름도 없었다. 그래서 '사회주의' '상호주의' '공산주의' '협회주의' '협력주의' 등 여러 가지 이름으로 표현되었다.

> 경쟁 원리나 개인주의적인 산업주의 정책을 바꿀 수 있다면 우리는 좀 더 인간적으로 협력하여 생산할 수 있지요. 나는 산업 공동체 모델을 만들어 사람들이 조화롭게 살아갈 수 있음을 보여 줄 것입니다.

로버트 오언

> 산업 노동은 인간을 피폐하게 만들지요. 노동과 생활을 함께하고 사적 소유가 없으며 남녀가 평등한 권리를 누리는 자유로운 '사회주의 공동체'(팔랑주)를 건설해야 합니다.

샤를 푸리에

　사회주의라고 하면 일반적으로 노동자계급의 운동으로 생각하지만, 역사를 통해 살펴보면 사회주의 운동에는 다양한 사회 계급이 참여하고 있다. 모든 억압의 폐지를 주장한 사회주의는 무엇보다 가난한 사람들, 특히 노동자들에게 가장 매력적인 것이기는 했다. 하지만 학생, 예술가, 지식인, 농민, 여성주의자, 자영업자, 심지어 상인이나 제조업자들에게까지도 사회주의 사상은 폭넓게 받아들여졌다. 최근에는 억압받는 소주 인종이나 민족, 토착 원주민이나 생태주의자 등 어떤 식으로든 자본주의로 고통 받고 있는 사람 모두에게 큰 영향을 주고 있다.

아나키즘

19세기 중반이 되면 사회주의 운동 안에서도 몇 가지 조류가 윤곽을 드러내게 된다. 그 가운데 아나키즘은 경제적인 착취뿐 아니라 모든 형태의 억압에 관심을 기울여, 특히 중앙집권적인 국가 권력에 강력히 대항한다는 특징이 있다. 아나키스트는 '프롤레타리아 독재'나 '국가사회주의'를 지지하는 공산주의자나 그 밖의 사회주의자들을 '권위적'이라고 비판했다.

일단 우리 노동자가 경제를 통제할 수 있게 되면 국가의 기능은 사회에 흡수되기 마련입니다.
국가 없는 자유 생산자들의 분권적 연맹을 조직해야 해요.

피에르 - 조제프 프루동

아나키즘의 선구자 프루동은 점진적으로 노동자들이 생산 통제권을 가질 수 있도록 경제를 바꾸어 가야 한다고 믿었다. 그는 '재산은 일종의 약탈이다'라고 주장하면서, 모든 사람들이 생산수단의 소경영자가 되어야 한다고 생각했다.

보통 사회주의들과 달리 무정부주의자들은, 자본주의에 대항하여 싸우는 조직도 위계질서가 없는 연합의 원리에 바탕을 두어야 한다고 생각했다. 따라서 노동조합을 조직하는 일에는 관심이 높았지만 정당의 형태는 반대했다. 한편, 폭력과 음모 수단 사용이나 비밀 조직을 만드는 문제를 둘러싸고 아나키스트들 사이에서도 여러 가지로 의견 차이가 크다.

표트르 크로포트킨

우리는 국가나 신, 소유로부터 자유로워져야 합니다. 국가는 사람들을 분리시키고 억압하는 반사회적인 존재일 뿐이지요. 이런 국가는 없어져야 마땅합니다.

바쿠닌 선생, 당신 생각에 찬성합니다만 폭력적이고 음모적인 방법에는 동의할 수 없군요. 서로 돕고 힘을 모으는 사람의 본성을 발전시켜야 할 게 아닌가요. 국가와 폭력은 바로 이런 사람의 본성과 반대되는 것이니까요.

미하일 바쿠닌

아나키즘은 19세기부터 20세기 초까지 전 세계의 수많은 노동자들 사이에서 큰 영향력을 갖고 있었다. 특히 유럽과 아메리카 대륙에서 그 영향력이 대단했다. 하지만 그 뒤로 세력이 급격히 줄어들게 된다.

마르크스주의

사회주의자들 사이에서는 마르크스주의 사상이 점차 각광을 받게 되었다.

> 자본주의 사회에서는 자본가와 노동자계급 사이에 적대적인 계급투쟁이 끝없이 일어날 수밖에 없지요. 노동자계급은 이런 투쟁에서 승리할 수밖에 없는 역사의 주인이 분명합니다. 자본주의를 끝내고 온 세상을 해방시켜야 합니다.

카를 마르크스

아나키즘과 달리 마르크스주의는 사회를 변화시키는 아주 주요한 수단으로 국가 권력을 이용해야 한다고 주장했다. 마르크스주의에 따르면 국가 권력을 손에 넣기 위해서 공산주의자들은 어느 정도 중앙집권적인 정당을 조직해야만 한다. 필요한 변화를 이루어 내기 위해서는 프롤레타리아 독재 기간을 거쳐야 한다고 보았다. 이렇게 해서 계급이 소멸되고 생산수단을 공동으로 소유함으로써 억압이 사라지면 국가는 더 이상 필요 없게 된다. 프롤레타리아 독재는 바로 이러한 과정에서 제 역할을 하게 된다. 이렇듯 공산주의 사회가 되면 불평등과 함께 국가가 사라지게 되는 것이다.

마르크스는 무엇보다 자본주의 비판에 온 힘을 쏟았다. 하지만 미래 사회의 모습이나 자본주의 체제에 맞설 조직이 어떠해야 하는지에 관해서는 많은 글을 남기지 않았다. 이런 까닭에 우리가 마르크스주의라고 부르는 것이 실제 카를 마르크스의 사상과 어느 정도 일치하는지에 대해 논쟁이 벌어지기도 했다. 하지만 이때 한 가지 분명한 사실은 바로, 프리드리히 엥겔스가 자신의 평생 친구인 마르크스의 사상이 과학적이고 완성된 학설인 것처럼 잘못된 이미지를 심어 주는 데 기여했다는 점이다. 마르크스의 사상으로 모든 사회 현상을 설명할 수 있고 심지어 미래까지도 예견할 수 있다고 생각했던 것이다.

마르크스주의는 자본주의가 어떻게 작동되는지를 이해하고 새로운 사회의 모습을 구상하는 데 중요한 계기를 마련했다. 마르크스주의는 19세기 후반부터 20세기에 걸쳐 사회주의를 이루려는 전 세계 수백만의 사람들에게 큰 영향을 주었다. 하지만 마르크스주의에 바탕을 둔 사회주의가 하나의 교리로 전락하는 순간, 다양한 정치적 전략이나 서로 다른 여러 상황과 역사적 변화에 맞게 적용하는 문제에서 어려움을 겪을 수밖에 없다.

제1인터내셔널

1864년 런던에서는 세계 각국의 노동운동 대표자들이 모여 '제1인터내셔널'이라는 국제노동자연합을 결성했다. 이 조직의 목적은 무엇보다 전 세계 자본주의를 무너뜨리기 위해 노동자들의 투쟁을 하나로 모으는 것이었다. 카를 마르크스도 독일 노동자들을 대표하여 조직의 강령을 만드는 데 참여하는 등 중심적인 역할을 했다. 그런데 마르크스의 사상은 곧 아나키스트 그룹의 반대에 부딪치고 말았다. 바쿠닌은 노동자들에게 '권력 없는' 국제 조직(대항 권력)을 만들어야 한다고 주장하며 제1인터내셔널의 해체를 부추겼다.

격렬한 논쟁을 거듭한 끝에 1872년 마르크스는 바쿠닌을 퇴출시키기에 이르렀다. 그 뒤로 인터내셔널은 침체되어 갔고 결국 1876년에 해체되고 말았다. 제1인터내셔널이 짧은 기간 활동했지만 전 세계에서 사회주의를 발전시키고 국제 사회주의를 전파하는 데 중요한 역할을 했다는 점은 의심할 여지가 없다.

최초의 사회주의 정당

마르크스와 엥겔스가 《공산당 선언》을 쓰고 있던 1848년 무렵에는 정당이라는 말이 오늘날 사용하는 것과는 전혀 다른 뜻을 갖고 있었다. 요즘처럼 특정한 조직을 의미하는 게 아니라, 착취당하는 사람들 속에서 자연스럽게 생기는 신념과 관심을 포괄하는 넓은 사상적 흐름이라고 할 수 있었다. 오늘날 볼 수 있듯이 단일한 강령에 따라 중앙집권적인 조직에 탁월한 지도자들이 이끄는 사회주의 정당은 1860년 독일에서 처음 탄생했다. 사회민주주의라는 이름을 사용한 이 정당은 마르크스주의 사상을 지도 원리로 내걸었다. 초기에 독일 사회민주당이 성공하자 그것을 모델로 삼아 유럽을 비롯한 세계 곳곳에서 노동운동이 활발하게 전개되었다.

사회주의 의식은 노동자들한테서 스스로 나오는 게 아니라 '바깥에서' 불어넣는 것입니다. 사회주의는 당의 지식인들이 노동자들에게 전파시키는 하나의 과학이라고 할 수 있지요.

노동자 교육은 당의 임무입니다. 처지를 의식하게 하여 과제를 스스로 깨닫게 해야 합니다.

카를 카우츠키

:: 1889년 독일의 사회주의자들이 주도하여 제2인터내셔널이 결성되었다. 제1차 세계대전이 일어나기 전까지, 오스트리아, 스칸디나비아의 나라들, 러시아, 네덜란드, 벨기에, 미국, 이탈리아, 프랑스, 에스파냐, 영국, 오스트레일리아, 폴란드, 불가리아, 헝가리, 칠레, 아르헨티나, 일본, 캐나다, 중국, 브라질에서 사회주의 정당이 만들어졌다.

개혁인가, 혁명인가!

1890년과 1914년 사이에, 마르크스주의자들은 심각한 논쟁을 벌인 끝에 분열되고 말았다. 독일 사회민주당의 실천 활동이 의회 안에서 합법적인 정치 활동에 집중하게 되자 여전히 혁명적 이론을 고수하는 쪽과 갈등을 일으키게 된 것이다. 이렇게 되자 사회민주당의 지도자 가운데 한 사람인 에두아르트 베른슈타인은 마르크스의 사상에 대한 비판적 수정을 가하기 시작했다. 그는 혁명 이론의 굴레에서 벗어나 당을 자유롭게 만들고자 했다. 노동자들뿐만 아니라 다른 사회계층들 사이에서도 폭넓은 지지를 받아 선거에서 세력을 확대하고 싶었던 것이다. 베른슈타인의 수정주의는 공산주의자나 혁명적 사회주의자들과 격렬한 논쟁을 불러일으켰다.

자본주의가 스스로 위기를 맞아 무너질 때까지 혁명을 마냥 기다릴 수 없습니다. 민주주의가 제공하는 합법적인 수단을 이용하여 정치나 경제 시스템을 단계적으로 개혁해야 합니다.

그렇게 하려면 노동자들뿐 아니라 중산층의 지지를 받아야 합니다. 민주주의를 점점 더 성숙시키고 노동자들의 처지를 향상시켜 나가야 사회주의에 이를 수 있는 거지요.

에두아르트 베른슈타인

> 베른슈타인 씨! 당신의 수정주의는 죄다 소시민적인 기회주의일 뿐입니다. 노동자들의 삶을 향상시키는 게 잘못되었다고 생각하진 않아요. 하지만, 국가가 실시하는 점진적인 개혁 프로그램이 결국에는 자본주의에 이로울 뿐이란 말이지요. 혁명 없이는 사회주의를 이룰 수 없고 노동자들이 다른 계급들과 타협해서는 결코 안 됩니다. 이게 제 생각입니다.

로자 룩셈부르크

    공산주의자와 수정주의자 사이의 분열은 제1차 세계대전을 계기로 더 골이 깊어졌다. 1914년 여러 나라 사회민주당 의원들은 자기 나라의 전쟁을 지지했다. 국가를 위해 노동자들을 다른 나라의 노동자들과 싸우도록 전쟁터에 보내는 것에 다름 아니었다. 이런 결정은 사회주의의 전통적 원칙 가운데 하나인 '국제주의'를 정면으로 거스르는 것이었다. 1921년 독일 사회민주당은 공식적으로 베른슈타인의 수정주의 사상을 받아들였고 공산주의 이념은 당 바깥으로 밀려났다. 세계 사회주의 정당들의 대부분은 비슷한 정책을 받아들였고, 곧 사회민주주의는 수정주의의 동의어가 되고 말았다. 이렇게 해서 수정주의자와 혁명가들 사이에는 건널 수 없는 강이 생긴 것이다.

러시아혁명 — 최초의 반자본주의 혁명

20세기가 시작되고 30년 동안은 세계 곳곳에서 반자본주의 운동의 거대한 물결이 일었다.

1910년에는 멕시코혁명이 일어났다. 혁명가들 가운데 에밀리아노 사파타가 이끄는 농민운동의 혁명가들은 사회주의와 아나키즘 사상에 영감을 받았다.

에밀리아노 사파타

반자본주의 혁명을 통해 지속적으로 공산주의 체제를 건설해 낸 역사의 시작은 바로 1917년 러시아혁명이다. 러시아는 19세기 인민주의(포퓰리즘)라고 하는 반자본주의 운동의 풍부한 전통을 가지고 있었고 이런 독자적인 이념과 마르크스주의가 결합함으로써 강력한 운동으로 발전했다. 1905년에 첫 혁명이 일어났지만 차르 전제 정부에 의해 진압되고 말았다. 하지만 이런 전제 권력도 1917년에 일어난 혁명으로 마침내 무너졌다.

1917년 이른바 2월혁명을 통해 차르 권력을 몰아내는 데 성공했지만, 곧바로 수립된 임시정부는 민중의 요구를 충족시킬 수 없었다.

바로 이때, 노동자들이 생산수단의 자주 관리를 내걸고 공장을 점거하기 시작했다. 농민은 지주의 땅을 차지해 갔고 병사들은 상관의 명령에 복종하는 것을 거부했다. 소수 민족들은 차르 러시아의 권력을 거부했고, 많은 학생과 예술가들도 이러한 투쟁에 합류했다. 여성주의자들도 마찬가지였다. 곳곳에서 사람들은 스스로 운명의 주인이라고 선언하고 복종을 거부했다. 1917년 10월, 마침내 권력은 붕괴됐다.

러시아에서 혁명가들은 저마다 서로 다른 사상적 성향을 가지고 있었다. 일부는 아나키즘을 제창하여 연합의 원칙을 고수했고, 기존의 이런 저런 정당에 가입해 있던 사람도 있었다. 물론 이때 노동조합도 중대한 역할을 하고 있었다.

러시아혁명에서 만들어진 가장 중요한 제도는 바로 '소비에트'였다. 소비에트란 노동자, 농민, 병사를 비롯하여 혁명에 참가한 여러 사회 집단이 모여 만든 평의회다. 혁명 기간 중에 이러한 평의회들은 민주적인 방식의 논쟁을 통해 모든 의사 결정을 내렸다.

소비에트 정부

1917년 2월부터 10월까지 몇 달 동안, 그때까지만 해도 상대적으로 규모가 작았던 볼셰비키당은 혁명을 위해 싸운 많은 사람들의 신임을 얻어 가고 있었다.

1917년 10월 24~25일 무장봉기 이후, 상트페테르부르크 소비에트는 볼셰비키의 지도자 블라디미르 레닌을 '인민위원회' 의장으로 선출했다. 인민위원회는 새로운 소비에트 정부의 권력기관이었다.

블라디미르 레닌

새로운 체제의 등장과 함께 혁명은 공산주의 사회 건설을 위한 급진적 성과들을 이루어 냈다. 교회와 지주들의 땅을 몰수하고 큰 기업들은 국유화시켰으며, 귀족과 부르주아들이 가지고 있던 특권을 폐지했다. 소수 민족들은 과거보다 훨씬 평등한 대우를 받게 되었고 여성도 새로운 권리들을 얻을 수 있었다. 1922년 소비에트사회주의연방공화국(USSR)이 성립됨으로써 인류 역사상 처음으로 공산주의 사회라는 실험이 시작되었다.

레닌주의

이미 1903년부터 레닌은 당을 어떻게 조직할 것인지에 대한 새로운 구상을 발전시켜 갔다. 카우츠키와 마찬가지로 레닌 역시 노동자의 공산주의 의식은 '바깥에서' 지식인이 지도해야 하는 것이며, 노동자 스스로는 발전시킬 수 없을 것이라고 생각했다.

레닌이 생각해 낸 '민주집중제'는 당원들이 간접적으로 지도자를 선출할 수 있는 권리를 가지는 것이었다. 그러나 지도자를 선출한 뒤에는 모든 당원들이 그 지도자가 '지시'하는 정치 방침을 따라야 한다.

당은 프롤레타리아를 이끄는 전위 조직입니다. 우리에겐 준비된 전문적 간부들이 필요하고, 당은 '확고한 의식을 갖춘' 사람들이 지도해야 합니다. 뚜렷한 계급의식을 가진 노동자만이 당에 들어 올 수 있지요. 물론 당의 정치 노선에서 멀어지는 사람은 추방될 수도 있다는 말입니다.

:: 러시아혁명을 통해 볼셰비키는 전 세계에서 명성을 얻었다. 1919년 레닌은 제3인터내셔널(코민테른)을 조직하여 전 세계의 혁명가들을 규합하였다. 전 세계 거의 모든 공산당 지부는 레닌주의식 당 모델과 볼셰비키 정치 노선을 받아들였다.

스탈린주의와 트로츠키주의

1930년대 이후가 되면서 너도나도 '마르크스 — 레닌주의'의 계승자라고 주장하기 시작했다. 스탈린주의, 트로츠키주의, 마오쩌둥주의, 게바라주의 등이 그런 예다. 스탈린주의와 트로츠키주의는 1924년 레닌이 사망한 뒤 볼셰비키 지도자들 사이의 대립을 통해서 생겨났다. 요시프 스탈린은 경쟁자가 될 만한 사람들을 제거하고 자신에게 모든 권력을 집중시켰다. 레닌의 오랜 동료였던 레온 트로츠키는 소비에트 정치체제를 강렬히 비판한 후 직위를 박탈당하고 망명을 떠나야 했다. 하지만 자신도 힘을 보태 일구어 낸 경제 사회구조를 옹호하는 것을 그만두지는 않았다.

암살되기 얼마 전인 1938년 트로츠키는 제4인터내셔널을 창설하여 자신의 사상을 중심으로 공산주의 운동을 재조직하려고 했지만 실패했다. 스탈린주의는 세계 공산주의 운동에서 영향력을 계속 유지했고, 트로츠키주의는 늘 내부의 논쟁에 머무른 채 진정한 대중운동으로는 발전할 수 없었다.

마오쩌둥주의

1960년대 이후 중국혁명(1949년)의 지도자 마오쩌둥(毛澤東)의 추종자들을 결집시킨 사상이 마오쩌둥주의다. 트로츠키주의자들과 마찬가지로 마오주의자들도 소비에트 지도부의 헤게모니와 스탈린주의에 반대했다. 이들은 마오쩌둥이 주장했던 반관료주의와 농민층의 혁명적 역할을 크게 평가한다.

중국과 같은 나라에서 농민은 공산주의자들의 가장 중요한 동맹자입니다. 만약 소비에트 교리를 답습했다면 노동자들만이 우리를 지지했을 게 뻔하지요. 그랬더라면 중국혁명은 절대로 성공할 수 없었을 겁니다.

마오쩌둥

마오주의자들은 유독 노동자계급의 역할을 강조하는 생각을 거부했다. 세계 혁명에 농민들이 중요한 역할을 해야 한다고 보고 그들을 결집시켰다. 중요한 국제적 대립은 부르주아와 프롤레타리아가 아니라 자본주의 국가와 저개발 국가 사이에 일어난다고 생각했다. 마오주의자들의 또 다른 특징은 바로 강력한 의지에 대한 믿음이다. 인간의 의지야말로 거대한 사회 변화와 정신적 변혁을 이루는 데 꼭 필요한 조건이라고 보았던 것이다.

게바라주의, 농촌근거지론

1960년 이후 라틴아메리카에서는 게릴라 투쟁을 중심으로 다양한 거점을 만들어졌다. 이런 형태도 레닌주의의 한 갈래라고 볼 수 있다. 게바라주의라고 하는 '근거지 이론'은 농촌지역에 구축한 근거지를 바탕으로 활동하는 소규모 혁명 부대를 중요시했다.

이러한 운동 흐름은 지나치게 전위조직 중심으로 진행되고 있었다. 해방은 특별한 훈련을 받은 게릴라 부대가 짊어진 과제였으며, 실제 해방된 민중의 역할을 크게 고려하지 못한 점도 있다.

체 게바라

:: 레닌주의의 여러 형태는 역사적으로 대립이 있었지만 서로 공통점이 많았다. 정권을 잡기 위해 중앙집권적인 전위 정당이나 군사 조직이 필요하다는 점에 모두가 동의한다. 또한 생산수단의 국유화와 일당 체제, 계획경제 체제라는 미래 사회의 구상도 일치한다.

민족해방투쟁

또 한 가지 반자본주의 운동 가운데 빼놓을 수 없는 거대한 물줄기가 있다. 식민지로 지배받던 나라들이 민족자결을 내걸고 제국주의(독점자본주의)에 맞서 투쟁했는데, 흔히 사회주의 운동으로 나타나는 경우가 많았다. 민족해방투쟁은 서로 대립된다고 말해 온 사회주의와 민족주의를 절묘하게 결합시켜 냈다. 마르크스주의가 주장한 당의 역할, 경제 국유화, 평등주의 같은 요소는 민족해방 운동가들에게 상당한 설득력을 얻었다. 그러나 계급투쟁과 같은 과제는 노동자와 농민들의 지지를 얻는 데는 필요했지만, '민족 부르주아지'라 불리는 사회 계층의 지지를 얻어 내기 힘들었기 때문에 주저할 수밖에 없었다.

소비에트연방에서 이루어 낸 급속한 산업화는 제3세계의 여러 운동 세력들에게 아주 매력적인 본보기가 될 수밖에 없었다. 그래서 사회주의를 권력의 집중과 경제 발전을 위한 이데올로기로 이용하는 경우도 많았다. 민중의 해방은 그 다음 문제로 미뤄진 채.

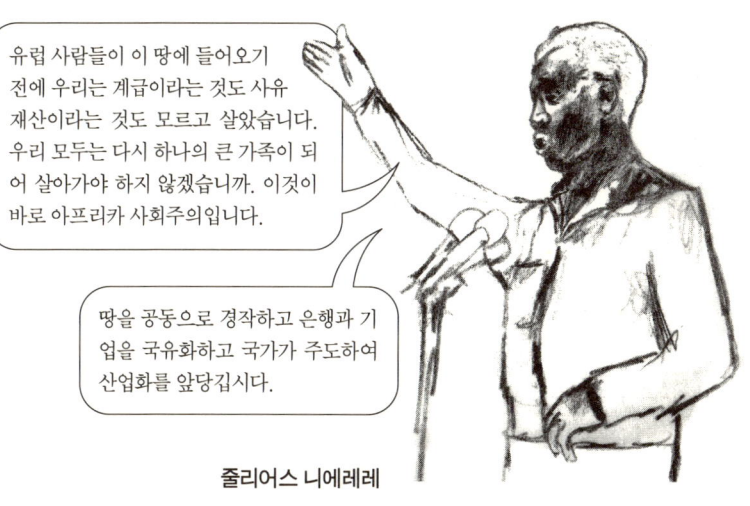

유럽 사람들이 이 땅에 들어오기 전에 우리는 계급이라는 것도 사유재산이라는 것도 모르고 살았습니다. 우리 모두는 다시 하나의 큰 가족이 되어 살아가야 하지 않겠습니까. 이것이 바로 아프리카 사회주의입니다.

땅을 공동으로 경작하고 은행과 기업을 국유화하고 국가가 주도하여 산업화를 앞당깁시다.

줄리어스 니에레레

공산주의 사회 건설의 좌절

사회주의 전통에서 생겨난 공산주의, 사회민주주의, 민족해방운동이라는 세 가지 큰 흐름은 몇몇 나라에서 저마다 계획을 실천할 수 있는 기회를 얻었지만, 결국 서로 다른 이유로 모두 실패하고 말았다.

러시아에서 출발한 공산주의 건설에 대한 기대는 오래가지 못했다. 혁명이 만들어 낸 성과는 비상사태라는 구실로 점점 뒷걸음질치고 말았다.

성적 자유, 예술의 자유, 노동조합이나 언론의 자유 등은 점점 줄어들었다. 스탈린의 집권은 이 같은 상황을 더욱 악화시켰다. 1928년 이후, 수많은 사람들이 '의심스럽다'는 이유로 처형되거나 강제 노동 수용소로 쫓겨났다. 농민들은 토지의 집단화를 강요받았고 노동자는 물론이고 일반 대중들에게도 엄격한 노동 규율이 적용되었다. 러시아 민족이 아닌 소수 민족은 또다시 심한 억압 상태에 빠졌다.

소비에트연방은 놀랄 만한 경제 성장을 이루고 교육과 의료의 진보도 이루었지만, 착취와 억압은 제거되지 않았다. 다만 새로운 형태로 교체되었을 뿐이다.

관료들은 새로운 지배계급이 되어, 정치와 경제의 결정권을 쥐고 노동자들을 착취했다.

공산주의 모델은 다른 나라에서도 실행되었지만 대부분 평등이나 해방과는 거리가 먼 모양새를 띠었다. 1980년대 소비에트연방이 심각한 경제 위기에 빠지자 관료들은 자기 이익에 눈이 멀어 공산주의를 포기하고 부르주아들로 변신하기 시작했다. 나아가 소비에트 정부도 신자유주의 정책을 적용하기 시작했다. 결국 1991년 소비에트는 해체되고 말았다. 좌절한 공산주의의 역사는 반자본주의자들에게 심각한 정치적 패배는 물론이고 도덕적으로도 큰 후퇴를 안겨 주었다.

사회민주주의의 좌절

수정주의도 마찬가지로 현실에서 실험을 해 갔다. 20세기 동안 사회민주주의 정당은 유럽의 주요 나라에서 정권을 잡았고, 사회의 가장 취약한 계층과 노동자들의 삶을 개선하기 위해 폭넓은 사회 개혁 프로그램을 실시했다.

올로프 팔메

복지정책이 노동자들의 삶을 눈에 띄게 개선시켰지만 착취나 억압의 문제를 해결하지는 못했다. 단지 최악의 상황을 조금 누그러뜨리는 데 그쳤을 뿐이다. 이런 현실 앞에서 몇몇 사람은 개량주의적 개혁 정책을 비판했다. 사회주의로 가는 길을 막고 오히려 국가를 효과적인 지배의 도구로 변화시켜 자본주의를 더욱 정교하게 만들었을 뿐이라는 것이다.

어찌 되었든, 이러한 온건한 개혁들조차도 1980년대 이후 대부분의 국가에서 사회민주주의 정당 스스로 정책적 후퇴를 감행했다. 국가가 점진적인 개혁을 통해 사회주의를 이루고자 했던 사회민주주의 계획은 실패로 막을 내린 셈이다.

민족해방운동의 변화

민족해방운동은 제3세계 여러 나라에서 전통적 지배층을 몰아내고 야심적인 산업화를 이루어 냈다. 그러나 전반적으로 진정한 해방이나 반자본주의 운동으로 발전했다고는 할 수 없으며, 심지어는 경제적 종속 상태에 머물거나 제국주의에서 벗어나지 못하는 경우도 많았다. 어떤 경우는 가짜 평등주의자와 국가주의자들이 전통적 지배층을 대신해 새로운 엘리트를 구성하여 '경제 개발'이라는 이름으로 국민들을 착취했다. 1980~1990년대가 되면 민족해방을 내건 정부는 권력을 잃거나 신자유주의 정책을 적극적으로 받아들이게 된다.

줄리어스 니에레레

신자유주의의 전개와 '역사의 종말'

경쟁 세력이 실패를 거듭함에 따라 자본주의는 거침없이 질주할 것 같아 보였다. 심지어 세계의 가장 부유한 나라조차도 복지국가의 꿈을 포기했고 노동자들은 점차 자신들의 권리를 잃어 갔다.

> 우리는 세계화 시대에 살고 있다. 이제는 뭐든 민영화하고 국가의 역할을 축소하고 시장을 자유화할 때다. 전 세계로 자본이 움직일 수 있도록 은행과 대기업에게 완전한 자유를 보장해 주어야 한다.

로널드 레이건   마거릿 대처

신자유주의는 '유일한 이념'이 되었고 대안은 없는 것처럼 보였다. 해방을 모색하는 사람들이 좌절감에 빠지는 한편으로 자본주의자들은 자기들 세상이라고 목청을 높였다.

> '역사의 종말'이 오고 말았습니다. 세상은 더 이상 바뀌지 않을 거예요. 자본주의보다 나은 체제는 없기 때문이죠. 자본주의를 비판하는 사람은 과거에 얽매여 있는 몽상가들일 뿐입니다.

프랜시스 후쿠야마

새로운 반자본주의의 등장

이러는 사이에도 자본주의의 거침없는 질주는 대다수 사람들의 삶에 끔찍한 결과를 만들어 내고 있었다.

실업과 불안정한 노동은 전 세계 노동자들에게 큰 고통을 주었고, 특히 여성들에게는 그 정도가 더욱 심할 수밖에 없었다. 기업은 토지와 삼림을 점유해 갔고, 유전자 변형 식품은 소비자뿐 아니라 농민과 토착 원주민들에게도 피해를 주었다. 신자유주의 세계화와 외채 압박은 제3세계 민중들의 삶을 더욱 피폐하게 만들었다. 투기자본이 활개를 치면서 금융 위기도 자주 발생한다. 체제의 입맛에 맞도록 대중매체가 통제됨으로써 표현의 자유와 정치적 권리 또한 침해받고 있다.

제도적 억압과 인종차별주의가 심해지고 감옥은 가난한 사람들과 소수 인종으로 가득 찼다. 자본주의 제국의 이익을 위협하는 나라를 상대로 한 본때 보이기 식 전쟁은 세계 곳곳으로 확산되고 있다. 건강도 안전도 교육도 이제 소수의 특권층을 위한 것으로 변질되었을 뿐 아니라, 환경의 급속한 파괴는 인류 생존마저 위협하고 있다.

1994년 멕시코 토착 원주민 사파티스타(Zapatistas)의 봉기는 반자본주의 운동의 새로운 외침과도 같았다. 그 뒤로 전 세계에서 갖가지 수단과 방식으로 자본주의에 저항하던 사람들은 서로 연대하기 시작하였고, 새로운 정치적 수단을 모색하고 희망을 되찾기 위해 움직이기 시작했다. 마침내 1999년 11월 반자본주의자들은 시애틀에 모여 세계무역기구(WTO) 각료회의를 저지하기에 이르렀다. 시애틀 투쟁은 이제 반자본주의 싸움이 다시 시작되었다는 사실을 보여 주는 계기가 되었다.

3
새로운 반자본주의 운동

새로운 반자본주의 운동은 혁명을 언젠가 일어날 하나의 사건으로 보지 않고 기다려야 하는 그 무엇으로도 보지 않는다. 혁명은 날마다 일어나고 있고 지금도 진행되고 있는 것이다.

권력을 잡는다는 것

저마다 차이는 있지만 전통적으로 과거 좌파들에게는 공통점이 하나 있다. 그것은 바로 권력을 장악하면 사회를 바꿀 수 있다고 생각하는 것이다. 정치권력 잡아서 사회를 해방시키는 도구로 국가를 이용한다는 전략이다.

새로운 반자본주의 사상도 이 점에 대해서는 분명하지 않은 점이 있는 것 같은데 말야. 우리가 '권력 획득'을 원한다고 하자. 국가에 집중되어 있는 정치권력만 유일한 권력이라고 할 수 있을까?

만약 그렇다 치더라도 국가의 정치권력이 현존하는 국민국가의 수중에만 있다고 할 수 있을까?

오늘날 국민국가는 사회생활의 규범을 따르게 하는 권한 정도만 갖고 있다. 국가는 말하자면 정치권력의 일부에 지나지 않는다. 또 그런 권한이라면 강대국 정부, 거대 기업이나 금융 회사, 복합 미디어 그룹들이 오히려 국민국가보다 더 강력하다고 볼 수 있다. 따라서 국가의 권력을 잡는다는 것은 단지 정치권력의 한 부분만을 장악하는 것이라고 볼 수 있다.

권력이라는 것은 우리가 정치권력이라고 이해하고 있는 것보다 훨씬 범위가 넓다. 권력은 국가나 거대 기업에만 있는 게 아니다. 우리의 생각이나 일상의 관습, 관계를 맺는 형식이나 다른 사람을 인식하는 방식, 나아가 우리가 쓰는 언어나 정체성 속에도 자리잡고 있다. 권력은 우리 사회관계 전체에 완벽하게 스며들어 있고 심지어 억압받는 자들 사이에서도 만들어지고 있다.

권력이란 '바깥에서' 우리를 억압하는 그 무엇이 아니라 내면화되고 체질화된 것이다. 권력은 우리의 사회생활을 지배하고 사람들을 '내면에서' 통제한다. 어쩌면 이것을 '살아 있는 권력'이라고 부르는 것이 타당할 것이다. 왜냐하면 살아 있는 권력은 사회생활은 물론이고 개인의 삶에까지도 영향을 주어 새로운 규율을 만들어낸다. 이런 권력은 단지 삶을 조절할 뿐 아니라 새로운 형태의 권력을 재창조하려고 한다.

미셸 푸코

권력에는 중심이라는 것이 없다. 권력은 곳곳에 여러 가지 방식으로 존재할 뿐이다. 권력은 만질 수 있는 물체도 제도도 아니다. 그것은 사람들을 분리하고 사람들이 스스로 살아가는 능력을 앗아 가는 하나의 지속적인 과정이다. 그 때문에 '권력을 잡는 것'은 어려울 수밖에 없다. 국가권력을 탈취했다고 해서 권력을 모두 장악했다고 할 수도 없다.

더욱이 국가는 누구나 하고 싶은 대로 사용할 수 있는 그런 중립적인 도구가 아니야. 국가는 자본주의의 기본적인 제도이고 국가가 속해 있는 사회로부터 '분리'될 수도 없는 거지.

사회의 일부분인 국가가 사회를 근본적으로 바꿀 수는 없는 법이지. 국가는 사람들을 서로 분리하고, 규율을 부과하고 종속시키는 기계와 마찬가지다. 이런 기계로는 새로운 세상을 만들 수 없다고 봐.

'권력을 잡는 것'에 대한 재검토가 필요하다. 그 일이 불가능하기도 하지만 그런 방법이 바람직하지도 않기 때문이다. 권력은 가까이 오는 모든 것을 변질시키는 법이어서 그것에 대항하는 사람들까지 무력화시켜 버리고 만다. 국가 기구를 장악하려고 하는 사회운동이 때때로 권력관계를 재생산하거나 강화시키기까지 하는 경우도 있다. 선거에서 이기거나 국가를 '장악'하기 위해서 과거의 반자본주의자들은 당이나 해방군 같은 조직을 만들었다. 하지만 그런 조직은 사람들을 분리하고 단죄하고 종속시키는 기관이 되어 버렸다. 국가 권력을 장악하고 나면 어김없이 과거 권력자보다 더 심하게 억압하거나 더 세련된 억압 형태를 만들어 냈다.

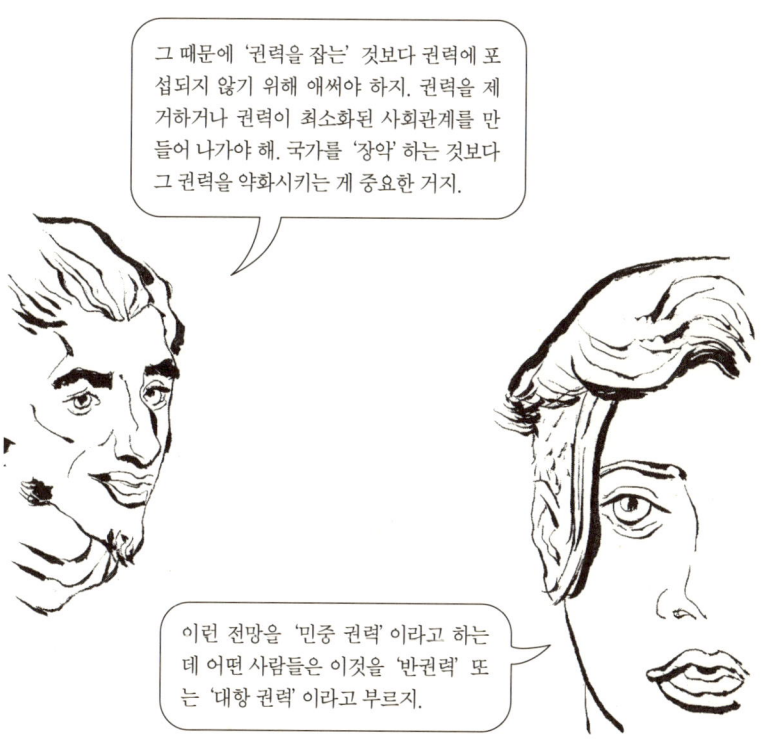

그 때문에 '권력을 잡는' 것보다 권력에 포섭되지 않기 위해 애써야 하지. 권력을 제거하거나 권력이 최소화된 사회관계를 만들어 나가야 해. 국가를 '장악'하는 것보다 그 권력을 약화시키는 게 중요한 거지.

이런 전망을 '민중 권력'이라고 하는데 어떤 사람들은 이것을 '반권력' 또는 '대항 권력'이라고 부르지.

3 새로운 반자본주의 운동 99

자율성(아우토노미아)

권력이 모든 곳에 자리 잡고 있고 어디에나 스며들어 있어 권력을 '잡는' 것으로 문제를 해결할 수 없다면 우리는 어떻게 자본주의와 맞설 수 있을까? 또 '민중 권력' 또는 '대항 권력'이라는 말은 구체적으로 어떤 걸 가리킬까?

권력은 그 자체가 서로 반대되는 두 가지 의미를 함축하고 있다고 볼 수 있다. 권력은 명령과 복종의 관계로서 다른 사람이나 집단을 지배하는 힘인 동시에 창조적인 행동을 만들어 내는 능력이라는 뜻도 가지고 있다. 우리가 추구해야 할 가치는 바로 창조적 행동을 만들어 내는 능력이다.

안토니오 네그리
존 할러웨이

이렇듯 권력이 갖고 있는 두 가지 속성은 서로 대립하기 때문에 함께할 수 없는 힘이다. 지배력이 사람들의 생활 전반에 걸쳐 자유를 제한하는 한편으로 '할 수 있는 힘' 또한 지배력을 제거한다.

권력과 마찬가지로 저항운동도 사회 구석구석까지 스며들어 있다. 권력이 있는 곳에는 어김없이 저항이 있기 마련이다.

사람들은 권력에 맞서 갖가지 방식으로 투쟁함으로써 스스로 행동하는 능력을 되찾으려고 한다. 때로는 그런 행동을 자신도 느끼지 못하는 경우가 많다. 조건이 더 좋은 새 일자리를 찾아 떠나는 노동자, 억압이 덜한 사회를 찾아 조국을 떠나는 망명자, 명령에 복종하지 않는 군인, 폭력을 일삼는 남편을 떠나는 여성, 상품화되지 않은 삶을 살아가는 예술가……. 이 모두가 권력의 지배에서 벗어나기 위해 행동하는 사람들이다.

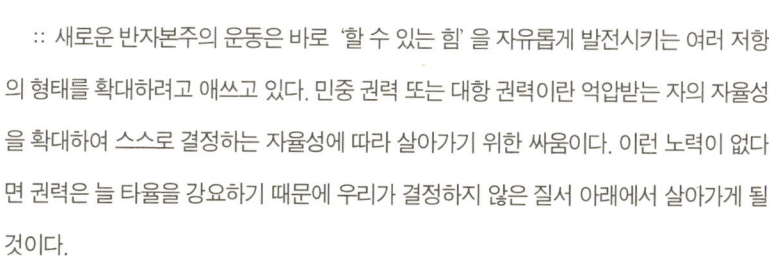

:: 새로운 반자본주의 운동은 바로 '할 수 있는 힘'을 자유롭게 발전시키는 여러 저항의 형태를 확대하려고 애쓰고 있다. 민중 권력 또는 대항 권력이란 억압받는 자의 자율성을 확대하여 스스로 결정하는 자율성에 따라 살아가기 위한 싸움이다. 이런 노력이 없다면 권력은 늘 타율을 강요하기 때문에 우리가 결정하지 않은 질서 아래에서 살아가게 될 것이다.

자율적인 공간, 그리고 함께 살아가는 곳을 만들면 만들수록 자본주의 시스템에는 균열들이 만들어질 수밖에 없다. 새로운 반자본주의는 자본주의 사회 곳곳에서 저항이 만들어 낸 자율 공간을 조금씩 넓혀가기 위해 노력하고 있다.

노동자들이 스스로 권리를 보호하기 위해 자발적으로 조직을 만들고 농민들이 대농장을 점거하고, 오쿠파스(점유자)들이 버려진 집을 개조해 문화 공간을 만들고, 토착 원주민들이 스스로의 생활 방식을 유지할 권리를 지키고, 실업자들의 자주 관리 경제 프로그램을 추진하는 일……. 이 모든 게 자본주의에 맞서 자율성을 실현하기 위한 투쟁이라 할 수 있다.

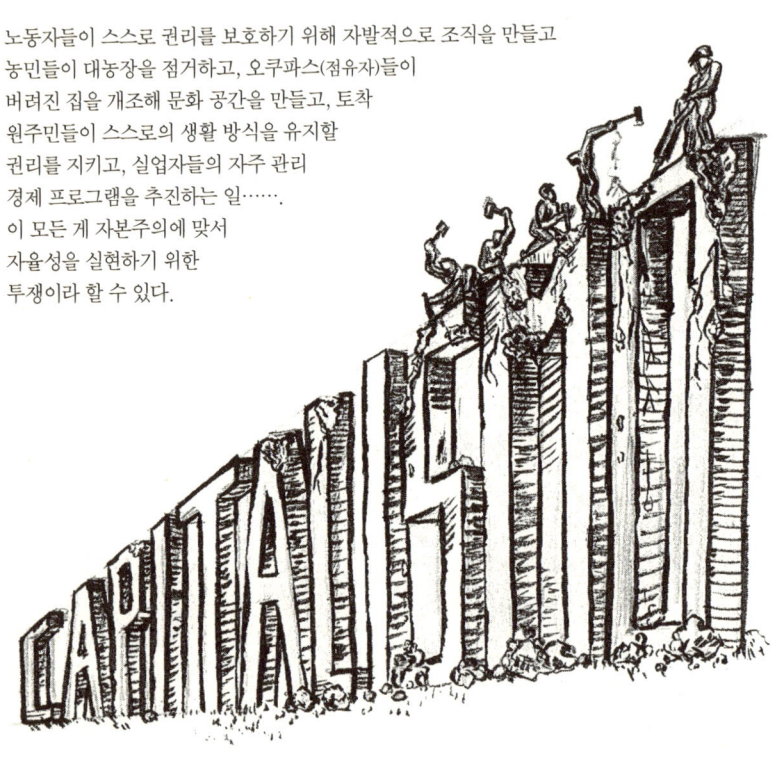

:: 사람들이 억압에서 벗어나 자신의 결정에 따라 살아가는 새로운 방법을 찾아 낼 때마다 자본주의 권력도 새로운 기술이나 생산방식, 정치조직을 개발해 사람들을 계속 통제하려고 한다.

새로운 반자본주의 운동의 핵심은 우리 스스로 결정할 수 있는 능력, 즉 자율성을 강화하고 확대하는 데 있다. 그것이 국가가 되었든 우리의 이익을 대표한다고 주장하는 정당이 되었든, 우리가 다른 사람의 결정을 따라야 한다면 그 순간 자율성은 위협받게 된다.

그렇다면 정치권력과 관계를 맺으면 안 된다는 말인가? 또, 국가와 관련된 공간이나 자원을 절대로 이용해서는 안 된다는 말인가?

그런 얘기는 아니지. 반자본주의 운동의 전략은 언제나 상황에 따라 결정되어야 하는 거니까. 때로는 선거에 적극적으로 참여하는 게 유리하기도 하고, 국가의 직책을 맡거나 정권을 잡는 게 유리할 때도 있지. 다만 이런 전략이 근본적인 방법이 아니라는 것만 잊지 말았으면 해.

어떤 결정을 내리든지 그것은 국가를 넘어 자율성을 발전시키는 것이어야 해. '권력을 잡는 것'이나 '위로부터의' 변혁을 우선시하는 정책은 늘 자율성을 침해할 수밖에 없어. 권력과 국가라는 게 자율성의 발전을 가로막는 조직이기 때문이야.

관련 사이트
www.lahaine.org/pensamiento2.htm

오늘이 바로 혁명의 날이다

민중 권력 또는 대항 권력이라는 전망은 우리가 생각하는 혁명의 모습을 크게 바꾸었다. 혁명이란 사회관계를 지속적이고 근본적으로 변혁하는 일이다. 이런 의미에서 마르크스는 혁명이라는 말을, '산업혁명'을 분석할 때 사용하기도 했다. 혁명은 이러한 불연속적인 변화 또는 자본주의 사회관계의 파괴를 의미하는 것이다.

프랑스혁명과 같은 '신화,' 그리고 '권력 장악' 같은 식의 생각은 혁명에 대한 잘못된 인식을 만들어 냈다. 혁명은 국가 기구를 장악하는 정당 운동 또는 정치 운동을 의미하는 것이 되고 말았다.

국가를 장악하는 것이 곧 사회관계의 근본적인 변화를 의미하는 것은 아니다. 종종 이러한 '혁명'들은 의미 있는 사회 변화를 이루어 내지 못한 채 단지 엘리트들을 바꾸는 것에 머물기도 했다. 진정한 혁명이란 정확한 시간이나 날짜가 정해져 있는 게 아니다. 물론 구체적이고 정치적인 특정 요인들이 혁명의 발전을 이루는 데 주요한 역할을 할 수도 있다. 예를 들어, 봉건주의를 무너뜨린 부르주아 혁명은 오랜 기간에 걸친 사회 변화의 결과였으며, 대개 '권력 장악'을 필요로 하지 않았고, 어떤 경우에는 하나 이상의 권력이 필요하기도 했다.

혁명을 언젠가 일어날 하나의 사건이나 기다려야 하는 그 무엇으로 봐서는 안 된다. 혁명은 날마다 일어나고 있고 지금 진행되고 있는 것이다. 혁명은 사람들이 일상적으로 권력에 저항하고 자율적인 틈새들을 새로 만들어 낼 때마다 일어나는 것이다. 자주 관리, 탈상품화, 그리고 평등한 공간을 만들어 낼 때마다 혁명이 일어나고 있다고 본다. 혁명이란 투쟁하는 사람들의 공동체가 만들어 내는 것이고, 그러한 투쟁을 통해 새로운 관계가 형성되는 것을 말한다.

안토니오 네그리

개량주의는 국가를 통해 점차적인 개혁을 이루어 가는 것을 말합니다. 사회관계를 바꾸지 않은 채 자본주의의 가장 해로운 부분만을 제거하는 것을 의미합니다. 이에 반해, "공산주의를 바로 지금 이곳에서"라는 주장은 자율적인 세상(아우토노미아)을 건설하여 일상적으로 권력에 맞서는 일입니다.

:: 혁명의 '일상적 측면'을 강조한다고 해서 과거와 '단절'하지 않아도 된다는 말은 아니다. 사회운동들은 저항운동의 한 부분으로서 새로운 형태들을 고안해 내거나 예상치 못하고 생각하지 못했던 사건들을 만들어 낼 때가 많다. 이렇듯 '단절'은 새로운 세상을 지향하는 저항으로 한 발 더 내딛기 위해 아주 중요한 것이다.

수평적인 조직과 운동

'바로 오늘이 혁명의 날'이라는 생각에 바탕을 둔 새로운 반자본주의자들의 투쟁 실천과 조직 형태는 우리가 건설하고자 하는 사회의 모습을 미리 그려 볼 수 있게 해 준다. 투쟁이나 조직을 그저 미래의 목적(혁명)을 이루기 위한 수단 정도로 생각했던 과거의 전통 좌파들은 투쟁과 조직 과정에서 사람들이 갖고 있는 자유로운 잠재력을 간과하고 말았다. '효율성'이라는 이름 아래 나온 전략이나 조직 방법은 위계적이고 억압적일 뿐 아니라 경쟁과 차별의 성격을 갖고 있었다.

레닌주의 정당은 의사 결정을 내리는 지도자들과 일반 당원들을 뚜렷이 구분했다. 지도자와 지도받는 자들 사이의 확실한 구별은 다른 사회조직에서도 재생산되고 말았다. '대중'을 이끄는 집단을 '전위'라고 보았다. 대표해야 할 관계가 사실상 대체 관계로 바뀌었고 당은 대중의 뜻을 대표하지 못했다.

위계질서에 따른 조직에서 당원은 당의 뜻을 거스를 수 없게 되었다. 종종 이러한 조직 형태는 협력과 연대, 차이를 뛰어넘는 통일성보다는 경쟁과 불신, 분파주의를 만들어 냈다.

정당들마다 많은 지지자를 얻으려고 하고 다른 정당들이 지지자를 빼앗지 않을까 전전긍긍한다. 당원들은 지속적인 충성심을 보여 주어야 하기 때문에, 때때로 당에 대한 충성심을 의심받을까 두려워 다른 의견에 관한 발언을 주저하기도 한다.

평등과 자율 그리고 자유와 연대를 지향하는 세상을 만들어 가려면 당연히 방식도 그래야 한다. 수단과 목적은 같아야 하니까. 건설하고자 하는 세상을 위해 투쟁하는 공동체는 전략과 조직 형태까지도 그것을 통해 미래를 내다볼 수 있어야 한다.

위계적이고 중앙집권적이지 않고 수평적인 네트워크를 지향한다!

수평적인 관계는 누가 위에 있는 게 아니고 의사 결정에서도 저마다 똑같은 권한을 가지고 있지. 지도자와 지도받는 자의 구별도 없다구!

:: 새로운 반자본주의 운동 안에도 조직의 형태를 둘러싼 논쟁이 있다. 수평적인 조직은 어떤 형태의 대의제(代議制)도 거부해야 한다고 주장하는 사람이 있는가 하면, 권한을 제한한다면 대표자를 선출하는 방식이 효율적이라고 말하는 사람도 있다. 이것은 대표자들이 대표하고자 하는 사람들을 대신하는 것을 막기 위해 다음과 같은 방법을 제안하기도 한다. 임기 제한, 재선 금지, 모든 대표자에 대한 소환제, 직무 순환제 등등.

수평적이라 함은 단순이 회의를 민주적으로 운영하는 것만을 뜻하지는 않는다. 구성원들 사이에 엘리트주의나 위계주의 같은 모습이 나타나지 않도록 지속적으로 노력하지 않으면 안 된다. 어떤 조직이라도 더 많은 교육을 받은 사람, 경험이 많은 사람, 경제적 조건이 나은 사람, 사회관계의 폭이 넓은 사람, 활동적인 사람, 혹은 단순히 다른 사람들보다 강한 카리스마를 가진 사람이 있게 마련이다. 이런 조건에서 앞서는 사람이 의사 결정에서 다른 사람들보다 더 큰 영향력을 발휘하는 게 일반적이다. 수평적 관계는 이런 것과 진혀 다른 문회를 만들어 나간다. 말하자면 모든 사람이 자신의 견해를 주장하고 누구도 특별한 권한을 가지지 않은 상태에서 의사 결정을 내리는 방식을 지향한다. 그렇게 함으로써 지식과 자원은 끊임없이 '사회화' 된다.

3 새로운 반자본주의 운동

네트워크 구조

자율성과 수평성을 이루는 데는 두 가지 큰 어려움이 있는데, 그것은 사람 수가 많고 거리가 멀다는 점이다. 만약 수백 명이 참여하고, 모든 사람이 정기적으로 모일 수 없을 만큼 먼 거리에 떨어져 살고 있다면 수평적인 기능을 유지하기 어렵다. 이런 경우에 효과적이라는 이유로 위계화와 중앙적인 형태를 지향하는 사람들이 있게 마련이다. 이 같은 딜레마를 해결하기 위해, 새로운 반자본주의 운동은 네트워크를 통한 조직과 조율의 구조를 발전시켜 나가고 있다. 네트워크란 자율적인 사람들이나 조직들 사이의 자발적인 연결 체계라고 할 수 있다.

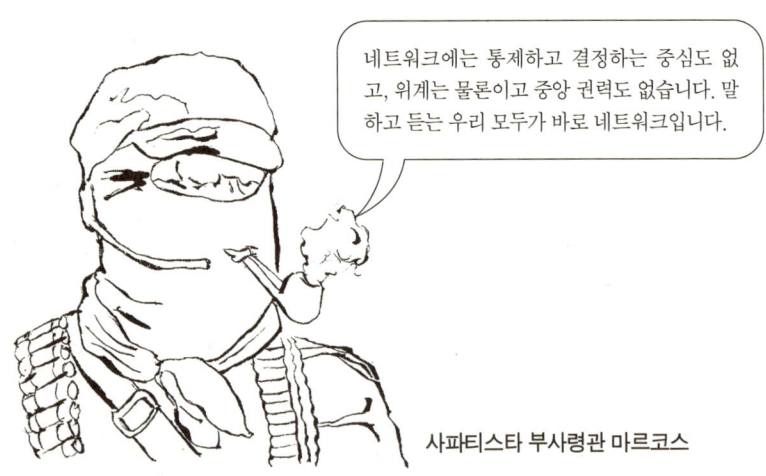

사파티스타 부사령관 마르코스

네트워크는 참여 집단이나 연대 단체들이 서로가 공통된 관심을 가지고 정보와 자원들을 주고받으면서 서로 조율하고 행동할 수 있을 때 성립된다. 연결 고리는 먼 거리에서도 의논하고 의사 결정을 함께할 수 있게 해준다. 여기서는 누구도 자신의 의사 결정권이 다른 대표자에게 넘어가지 않기 때문에 수평성과 자율성은 항상 유지된다.

과거의 위계적이고 중앙집권적인 조직은 '한 그루의 나무'와 그 구조가 같다고 볼 수 있다. 하나의 '줄기'에서 '큰 가지'가 나오고, '큰 가지'에서 '잔가지'가 나오는 것처럼 나무의 가지는 우선 줄기와 통하지 않고는 다른 가지와 연결될 수 없는 '수직적인' 소통 구조이다. 예를 들어, 어떤 정당의 소통과 의사 결정을 담당하는 중앙 기관이 지방위원회의 제안을 무시하거나 거부하게 되면 의사소통의 흐름은 크게 제약받게 된다.

이런 구조와 비교해 볼 때 네트워크 형태는 여러 가지 장점이 있다. 이를테면 더욱 자유롭고 원활한 의사소통을 이룰수 있고, 연결 마디는 어떤 사람이나 집단과도 수평적인 연결을 자유롭게 만들 수 있다.

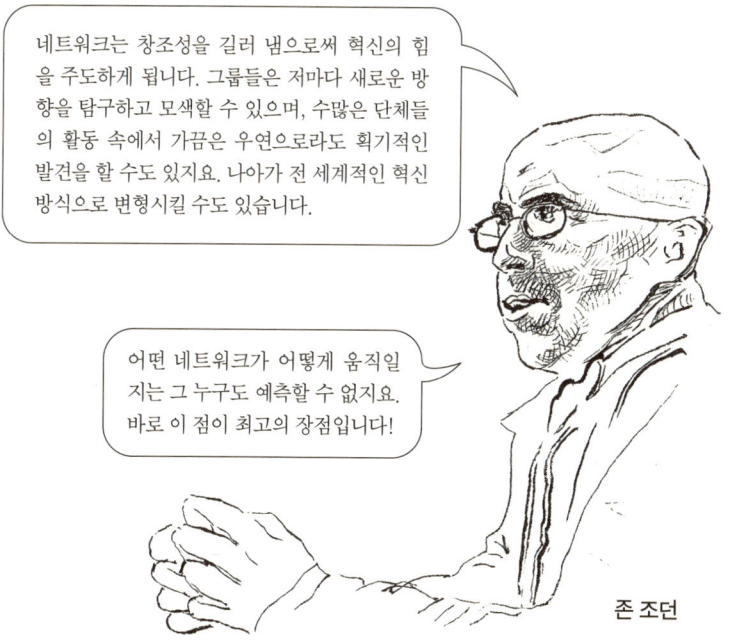

네트워크는 창조성을 길러 냄으로써 혁신의 힘을 주도하게 됩니다. 그룹들은 저마다 새로운 방향을 탐구하고 모색할 수 있으며, 수많은 단체들의 활동 속에서 가끔은 우연으로라도 획기적인 발견을 할 수도 있지요. 나아가 전 세계적인 혁신 방식으로 변형시킬 수도 있습니다.

어떤 네트워크가 어떻게 움직일지는 그 누구도 예측할 수 없지요. 바로 이 점이 최고의 장점입니다!

존 조던

중앙집권화된 구조는 현장에 있는 사람들의 창조성과 혁신적 동기를 만들어 내지 못한다. 늘 '위에서' 나올 것이라고 생각하고 있기 때문이다.

네트워크는 지역의 현실과 필요에 따라 아주 민감하고 다원적이고 유연한 동맹을 이루어 내는 데 효과적이다. 예를 들어 한 당의 중앙위원회는 다른 정치 집단과 협력하지 않기로 결정할 수 있지만, 여러 가지 특별한 이유 때문에 어쩔 수 없이 연대할 필요성이 생기기도 한다. 이런 경우, 수평적인 조직은 연결 마디에서 주저 없이 필요한 네트워크를 만들어 낼 수 있겠지만, '나무 형' 조직의 '가지들'은 중심되는 '줄기'에서 연대 방침을 결정할 때까지 기다릴 수밖에 없다.

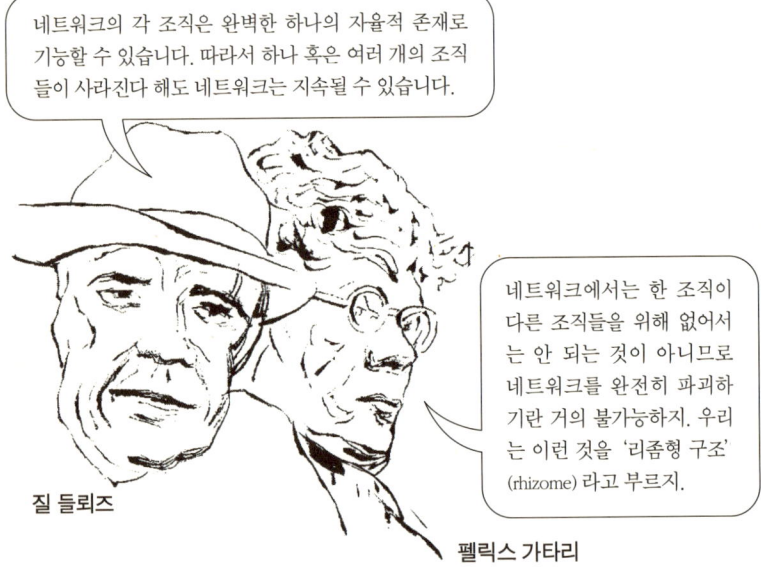

'나무 형' 구조는 만약 중앙이 흔들리거나 파괴되면 전체가 무너져 버린다. 새로운 반자본주의 운동에서는 중앙의 몇몇 지도자에 의해 좌지우지되는 행운을 기대하지 않는다. 실수를 범하거나, 쉽게 부패하거나, 굴복할 수 있는 몇몇 사람들에게 운동의 미래를 맡기지도 않는다.

이러한 네트워크의 또 다른 장점은 바로 그것이 만들어지는 방식이다. 예를 들어, 정당이 지지자와 당원 또는 자금이 축적됨으로써 성장는 반면에, 네트워크 조직은 마치 하나의 생명체처럼 새로운 독립적 조직체를 하나씩 만들어 나가면서 확대되어 간다. 마치 세포가 번식하는 것과 같은 이치다. 이는 단순히 사람의 수나 자원의 양을 늘리는 것만이 아니라, 새로운 조직을 만들어 세포분열을 함으로써 증식하는 방식이다. 새로운 조직이 많을수록 다양성이 늘어나고 네트워크도 더욱 강해지는 법이다.

:: 네트워크 구조를 선호한다는 것이 결코 중앙집권적 구조를 사용하지 말자는 뜻은 아니다. 때에 따라서는 이 같은 조직 형태가 필요할 수도 있고 더 효과적일 때도 있다. 중요한 것은 네트워크 조직들은 그 어떤 중앙 또는 상시적인 권력에 종속되지 않는다는 점이다.

다양성과 잠재력

새로운 자본주의와 과거 전통 좌파들 사이의 큰 차이점은 바로 주체가 누구인가 하는 점에 있다. 즉, 어떤 집단이 해방의 길을 여는 데 중심적 역할을 하느냐 하는 문제다. 이 점은 정치적 실천을 좌우하는 문제이기 때문에 매우 중요하다.

예를 들어, 민족해방운동의 경우 그들의 모든 희망을 '식민지 민중'들에게 걸었다. 이때 식민지 민중이란 일종의 농민과, 노동자, 소기업가들뿐 아니라 제국주의에 맞서 '민족의 이익'을 수호할 것이라고 생각되는 광범위한 사람들로 구성된 구체적 집단을 말한다.

전통적 좌파는 자본가계급에 대항할 수 있는 역사적 주체로서 산업 '노동자계급'에게 기대를 건다.

새로운 반자본주의 운동은 좀 더 유동적이고 다양한 곳에 산재해 있는 존재를 운동의 주체로 받아들인다. 자본주의는 생각보다 다양한 방식으로 사람들에게 영향력을 행사하고 있기 때문이다.

공장 노동자들은 물론 일하는 사람 모두 자신들을 착취하는 체제에 맞서 싸우는 여러 가지 이유를 갖고 있다. 농민들이나 토착 원주민, 나라 안에서 차별과 학대에 시달리는 민족, 여성, 소비자, 예술가, 언론인, 지식인, 학생, 공공 서비스 이용자, 생태학자, 인권운동가, 평화주의자……. 자본주의는 이 모든 사람들을 억압하고 분열시키고 착취할 뿐 아니라, 매 순간마다 한 사람 한 사람의 인생에 중요한 결정을 내릴 수 있는 힘을 빼앗아 가 버린다.

전통 좌파들은 서로 다른 주체들의 다양한 이해관계에 위계를 정하고는 했다. 가장 중요한 것은 노동계급 '민중' 의 이익이라고 보았다. 그 밖에 다른 사람들의 이익은 혁명이 완성될 때까지 유보되어야 했으며, 그 동안은 계급이나 '민족' 투쟁에 복무해야 했다.

새로운 반자본주의는 특별한 주체가 나머지 다른 주체들을 해방시킬 수 있을 것이라는 믿음을 거부한다. 여러 주체가 저마다 자신의 방식으로 문제에 맞설 때 그 투쟁의 결과로서 해방이 이루어진다. 그 동안 전통 좌파는 다양성이 '집권' 위해 필요한 전략의 통일성과 민중의 동질화에 장애가 된다고 여겼다. 하지만 자본주의에 대항하는 힘을 강화하기 위해서는 오히려 다양성을 북돋워야 한다.

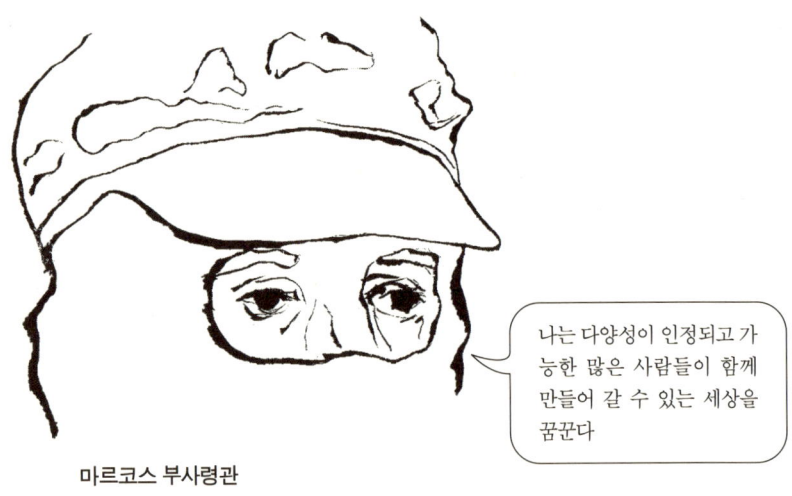

나는 다양성이 인정되고 가능한 많은 사람들이 함께 만들어 갈 수 있는 세상을 꿈꾼다

마르코스 부사령관

다양성을 인정하는 통합은 차이를 인정하는 과정을 통해서 이루어진다. 각 주체들은 함께 갈 수 있도록 서로가 서로에게 '적응' 을 해야 한다. 다른 사람을 인정한다는 것은 단지 받아들이는 것만이 아니라, 자기가 상대방에게 '영향을 받는 것' 을 의미하기도 한다.

　세상을 바꾸는 일은 몇몇 운동가들에게만 맡길 수 없는 아주 중요한 문제이다. 오히려 '정치'에는 관심이 없다고 얘기하는 사람들 마음 밑바닥에 어김없이 존재하는 반자본주의 성향을 드러낼 수 있는 공간을 만들 필요가 있다. 새로운 반자본주의 운동을 다음과 같이 정리할 수 있다.

- 사람들을 단지 정치적 목적(표)을 얻기 위한 대상으로 보지 않고, 그들이 안고 있는 구체적인 문제를 함께 생각하고 해결책을 찾아 가는 것.
- 개인 생활이나 즐거움을 희생하지 않고, 저마다 가지고 있는 잠재력이나 희망에 따라 함께할 수 있는 여러 저항의 모습을 만들어 내는 것.
- 대중교육의 활성화에 꾸준히 동참하는 것.

정치적 주체의 다양성과 복합적인 성질을 인정하게 되면 의사 결정 방식에도 변화를 가져올 수밖에 없다. 새로운 반자본주의 단체들과 네트워크들은 다수가 '승리' 하고 소수가 '복종' 하는 예전의 다수결 방식보다는 합의를 통해 의사 결정을 하려고 노력하고 있다. 소수의 절박함도 함께 만족시켜 줄 수 있는 합의점을 찾는 노력이야말로 다른 사람을 인정하고 제외시키지 않으려는 의지의 한 부분이다.

마르코스

:: 이러한 '복합적이고 다양한 주체' 를 부르는 이름이 없다. 그다지 필요하지도 않다. 어떤 사람들은 특정한 계급을 나타나는 말이 아닌 '다중'(多衆)이라는 말로 부르기도 한다. 민족국가를 기준으로 구성되는 '인민' 이라는 말 보다는 '다중' 이라는 말이 좋을 듯하다. 다중은 민족국가라는 틀을 넘어 자신의 국가에 대항하기도 하고 그 틀 바깥에서 투쟁을 하기도 한다.

구체적 상황에 따른 정책

새로운 반자본주의 운동은 시공간적 상황에 따라 전략과 행동을 결정하려고 한다. 지역적 상황과 실제 참여하는 집단들의 개별성과 특수성에 따라 조직을 만들고 투쟁하고, 중심이 되는 투쟁의 내용에도 주의를 기울여 결정한다.

> 같은 반자본주의 운동이라고 해도 법적으로 보장된 나라와 강력한 정치적 탄압이 있는 곳에서 서로 다를 수밖에 없습니다. 실업자, 노동자, 농민, 소비자들이 벌이는 운동의 전략이 같을 수 있겠어요?

> 전 지구적 저항운동은 지역 현실에 뿌리를 두어야 해요. 우리의 투쟁이 마치 맥도날드 햄버거처럼 세계 어디서나 똑같아야 할 이유는 없죠.

나오미 클레인

전통 좌파들의 전략은 예전부터 늘 비슷한 성격을 띠고 있었다. 그곳이 어떤 상황이든 일반화된 하나의 '프로그램'에 맞추려 하였으며, 이미 알려진 투쟁의 방식을 답습할 것을 요구했다. 개별 상황과 특수성을 감안하지 않은 채, 당면한 문제에 대한 고려 없이 항상 "무엇을 할 것인가"를 이미 결정하고 있는 셈이었다.

'개별 상황에 맞는 정책'의 특징은 자본주의의 구체적인 상황과 삶의 방식에 맞서 싸운다는 점이다. 또 지역에 따라 매 순간 가장 적합한 자주적 조직을 건설하고 배움의 잠재력을 키워 나간다. 이를테면 '사소한 것'으로 보일지라도 그 목적을 정확하게 달성하고 더 나은 생활이나 조직이 발전한다면 그 자체만으로도 중요한 성과라고 할 수 있다. 전통 좌파는 종종 자본주의 체제라는 '추상적이고 일반적인 이념'을 중요시함으로써 구체적인 사안들에 대한 개별 투쟁을 등한시하는 경향이 있었다.

:: 전통 좌파들은 오직 '강령'에 적합하거나 '지령'에 부합되고, '자본주의 체제' 폐지라는 최종 목표로 '전진'을 이루는 행위에 관심을 갖는다. 또 자신들이야말로 다른 어떤 사람들보다 무엇을 어떻게 해야 하는지를 '잘 알고 있는' 사람이라고 믿는 경향이 있다. 어떤 경우에는 이미 터진 투쟁을 자신들의 '프로그램'이나 전략에 적합하도록 조정하려고도 한다.

전통적인 좌파 정치에서, 투쟁 상황에 관련된 사람이나 조직들은 단순히 일반적인 정치 목표를 실현하기 위한 대상으로 여겨지곤 했다. 전통 좌파들은 항상 개별 투쟁에서 얻은 성과 이상의 것(당면투쟁을 넘어서는 목표)을 얻으려고 했다. 따라서 이러한 투쟁들은 자신들이 기대하고 의미를 부여하는 방향으로 전개 될 때에만 '의미 있는 것'이 된다. 만약 그렇지 않을 경우에는 주체들이 '준비'나 '의식'이 결여되어 있거나 '노선'이 뚜렷하지 않았다고 생각해 무시하기도 한다.

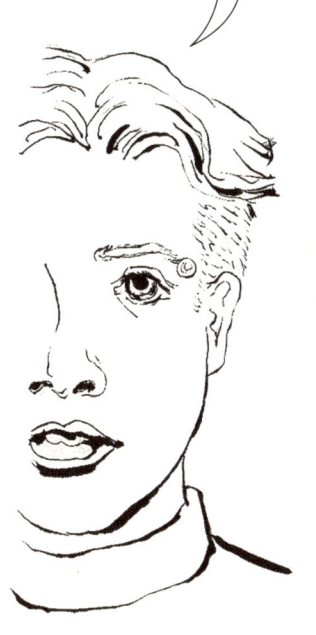

이런 자세는 여러 저항운동이나 대중들의 투쟁을 하나의 강령이나 정당 내지는 국가나 지도자의 의지에 따른 것으로 폄하시키는 문제점이 있다. 결국은 개별 투쟁이 가지는 창조적이고 자율적인 성장의 가능성을 가로막고 말지.

어떤 조직의 운영이 이미 정해진 모델을 따라야 한다면, 주체들의 의식이나 투쟁, 창조적 잠재력이 제한될 수밖에 없어.

그렇다면, 보편적인 사상이라는 건 아무 짝에도 쓸모가 없는 것일까? 서로 다른 상황에 처해 있다고 해서 그와 다른 조건에 있는 상황으로부터는 배울 게 아무것도 없단 말인가? 물론 그런 것은 아니다. 하지만 그 태도에는 중요한 차이가 있다. 전통적인 활동가들은 종종 '밖으로부터' 투쟁에 참여하는 경우가 많다. 사람들에게 늘 무엇을 어떻게 해야 하는지 이야기하고, '올바른' 노선을 정해 주는 식이었다. 마치 모든 문제에 하나의 정답이 있는 것처럼.

하지만 뭔가를 말하는 것 보다 듣는 것이 중요하다는 사실을 깨달을 필요가 있다. 투쟁의 경험들을 활용하고 제각기 다른 투쟁 상황에서 얻게 되는 현명한 지식들과 소통하는 일종의 문화 '조정자'로서 역할이 무엇보다 중요하기 때문이다. 말하자면 활동가란 투쟁하는 모든 사람들이 보편적 지식들을 얻을 수 있도록 도와주는 한편, 구체적인 상황에서 무엇이 가장 적절한지 '배우는' 사람이라고 할 수 있다.

정치적으로 무엇이 '진리'인지 또는 무엇이 '옳은'지에 관한 사고방식에 따라 활동가의 모습도 두 가지로 나타난다. 전통 좌파는 여러 다른 관점들을 넘어서는 하나의 '객관적 진리'가 존재한다고 믿는 경향이 있다. 바로 이러한 '진리'를 통해 무엇이 적절한 노선인지 결정하게 되고, 진리를 아는 사람이 곧 바람직한 정치적 관점을 가진 사람이 되는 것이다.

한편, 새로운 반자본주의 활동가들은 일반적으로 이 두 가지 문제를 별개의 것으로 분리한다. 즉, 정치적으로 옳은 결정은 무엇보다 이미 주어진 상황에서 싸우고 있는 사람들의 동의와 합의를 통해 만들어야 한다고 생각한다. 많은 사람들이 의구심을 갖기는 하겠지만, 비록 하나의 진리가 있다 손치더라도 그 진리는 오직 각각의 구체적 상황에서 나올 수밖에 없다. 따라서 어느 누구도 다른 사람들 보다 '더 많이 알거나 잘 알고' 있다고 말 할 수는 없는 것이다.

게다가 약간의 '겸손한' 마음가짐은 운동의 발전을 위해 매우 중요하지.

자기가 다 알고 있다고 믿는 사람은 다른 사람의 말을 들으려고 하지 않으며, 더 자세히 알기 위해 노력하지도 않는 경우가 많은 것 같아.

모르는 것은 걸어가면서 그 길을 찾게 되는 거지.

마르코스

3 새로운 반자본주의 운동 125

투쟁의 세계화

처음부터 전통 좌파는 자본주의가 하나의 세계체제라고 보고, 승리할 수 있는 유일한 방법도 국제적인 투쟁이라는 걸 이미 알고 있었다. 하지만 시간이 흐를수록 주류 좌파의 국제주의 정신은 점점 쇠퇴해 갔다.

- 제1차 세계대전 때 사회민주주의자들은 애국주의에 굴복하여 결국 전쟁을 지지했다.
- 민족해방운동은 제국주의에 맞서기 위해 강한 민족주의 색채를 띠었다.
- 레닌주의가 국제주의적인 노선을 유지하기는 했지만, 국가 권력의 쟁취를 우선함으로써 항상 국내 조직을 만들거나 실천하는 데 역점을 두는 경향을 보였다.

이제 다시 국제주의 운동을 발전시키고 더 심화시켜야 해. 새로운 담론을 형성하는 것은 물론이고, 전략이나 조직 형태도 변화를 모색해야 한다고 봐.

인터넷을 이용하거나 조직된 연결망을 통해 전 세계 다양한 집단들 사이에 소통할 수 있는 혁신적 경험을 할 수 있잖아. 이제 전 지구적 저항이라는 새로운 운동이 눈앞에서 펼쳐지고 있어.

수많은 사상가들은 국가 단위에서만 변혁을 추구하는 게 이제 더 이상 의미 없는 일이라고 주장해 왔다. 이미 지구화된 세계에서 국가 단위의 결정권이나 조절 능력은 불가피하게 축소될 수밖에 없다고 보기 때문이다.

> 제국주의 시대는 끝났다. 오늘날 자본주의는 하나의 제국처럼 공고해지고 있다. 중심도 영토도 국경도 존재하지 않는 세계화된 권력 구조가 되었다. 이 제국은 국가나 다국적 기관들 사이에 일종의 네트워크로 형성되어 있다. 국제연합(UN), 북대서양조약기구(NATO), 국제통화기금(IMF) 같은 국제기구는 몇몇 초강대국들과 초국적 기업 또는 비정부 기구들에 의해 조직되어 있다. 이런 구조 속에서 자본은 자유로이 세계를 누비고 제국이 이들의 재생산 조건을 보장하는 데 몰두하고 있는 것이다.

안토니오 네그리   마이클 하트

이러한 이유로 오늘날 반자본주의자들은 국가 단위의 투쟁을 조직하는 데 비교적 노력을 덜 기울이는데, 이는 다른 두 영역의 활동에 힘을 집중하기 위한 것이다. 그 하나가 지방, 도시, 마을, 일터 같은 생활공간이라고 할 수 있다. 또 하나는 전 지구적 공간인데, 국제기구에 저항하는 투쟁, 세계 정상회담 저지운동, 초국적 자본에 맞서 싸우는 일 등이 여기에 해당한다.

자본주의는 이제 더 이상 하나의 중심을 갖고 있지 않으며, 개별 국가는 사람들을 분리시키는 기계의 일부가 되어 버렸다. 나아가 그 밖에도 많은 고유의 기능들을 잃어 버렸기 때문에, 투쟁을 전 지구적인 것으로 만드는 것이야 말로 긴급한 요구가 되었다. 반자본주의 저항의 전 지구화(또는 아래로부터의 세계화)는 모든 영역에서 자본주의를 공격함으로써 자본주의가 강제하는 정치적 조건을 제거하는 것을 뜻한다. 예를 들면, 어떤 사람이 자기 나라를 벗어나면 잃게 되는 정치적 주권을 회복시키려는 투쟁 같은 것이 있다.

:: 저항운동을 세계화한다는 말이 국내 정치를 무시하거나 각 나라 고유의 문화적 요소를 부정하고 약화시키는 것을 의미하지 않는다. 오히려 지역적 '특성'과 '색채'를 잃지 않은 채, 세계적인 저항운동의 전망이나 네트워크를 결합시키는 것이다.

직접행동과 시민불복종

새로운 반자본주의 운동에 나타나는 몇 가지 독특한 전략이 있다. 직접행동과 시민불복종이 그 가운데 가장 두드러진 저항 방식이다. 직접행동이란 변화를 위해 필요한 실천을 권력기관들이 대신해 주기를 바라지 않고 직접행동에 옮기는 것을 말한다. 우리가 원하는 바를 실천에 옮길 후보자에게 투표하거나 우리의 주장과 요구에 지지를 모아 정부에 요청하는 일 따위는 간접적인 전략이라 볼 수 있다. 그것은 우리의 요구 사항을 다른 사람들이 (그것도 최선의 경우) 실천에 옮기는 방식일 뿐이다.

:: 직접행동이란 정치에서 수동적인 자세를 탈피하여 직접 실천에 옮기는 것을 의미한다. 원하는 대로 일이 처리되도록 권력 기관을 압박하는 실천도 여기에 해당한다.

한편, 시민불복종 행동이란 집단적으로 공공연히 맞서 법에 따르지 않거나 그 질서를 타파하는 행위를 말한다. 여러 가지 직접행동이 불복종의 한 형태인 동시에, 불복종도 직접행동이라 할 수 있다. 예를 들어 이탈리아 불복종 시민들이 불법 이민자 수용소를 점거하고 그들을 풀어 준 사건도 직접행동의 형태이다. 하지만 모든 직접행동이 법을 위반하거나 공공의 장소에서 일어나는 것은 아니다. 또 모든 불복종이 실천 행동인 것도 아니다. 행동하지는 않지만 수동적으로 법 집행을 이행하지 않는 저항도 시민 불복종의 한 가지 형태이다.

중요한 것은 이제 더 이상 '간접적' 행동이나 선거를 통한 방식에만 의존해서는 안 된다는 점이다. 직접행동이나 시민불복종 전술이 순조롭게 잘 된다면, 구체적이고 즉각적인 성과를 낼 수도 있다. 이런 방식은 제도적으로 허용된 범위를 넘어서는 것일 수 있고, 동시에 참여하는 사람들에게 주체가 되고 있다는 자신감과 기쁨을 안겨 준다.

    자본의 독재 아래에 살고 있기 때문에 직접행동과 시민불복종 전술이 합법적이지 않을 수도 있지만 그 행동은 정당하다. 그렇다고 모든 행동을 아무런 생각 없이 마음껏 할 수 있는 것은 아니다. 그래서 우리가 하는 행동에 정당성을 확보하는 것이 매우 중요하다. 정당성 확보는 사회와 긴밀히 '주고받는' 열린 소통을 통해 가능하다. 이런 과정에서 주장뿐만 아니라 사용하는 수단까지도 많은 사람들이 인정할 수 있도록(적어도 거부하지 않도록) 만드는 것이 핵심이다.

관련 사이트
www.noviolencia.org/publicaciones/20puntos.pdf
www.starhawk.org/activism/activism-resources.html
www.actupny.org/documents/CDdocuments/Guidelines.html
www.ruckus.org/man

창의성과 유쾌함

새로운 반자본주의와 전통 좌파 사이에는 중요한 차이가 하나 있다. 그건 바로 운동의 문화이다. 사실 쉽게 정의할 수 있거나 책에 나오는 것도 아니고 어떤 이론으로도 딱 잘라 말할 수는 없다.

운동을 전쟁 같은 게 아니라 지속적인 창조 활동으로 받아들일 때, 운동가들의 관계도 바뀌고 운동 주체들의 정치적 행동에 참여하는 방식도 바뀌게 된다.

전통 좌파 (투쟁의 문화)	새로운 반자본주의 (창조의 문화)
대의를 위한 '희생'	행복한 삶 창조
집단적 이익이 개인의 이익에 우선함	집단은 개인의 이해를 포함하고 받아들임
회의(懷疑)와 분열을 금기시 함	'알지 못하는 것'을 생활의 기본으로 인정함
개인 생활을 보류함	개인 생활을 중요하게 생각함
나약함과 실수들에 대한 엄격함	누구나 할 수 있는 실수를 포용함
결과를 재지 않는 헌신성	세심함을 수반한 대담성
죽은 '영웅'이나 '희생자'를 기리는 문화	생명을 예찬하고 일상생활에 바탕을 두고 투쟁하는 사람을 칭송하는 문화
일반인들과 분리된 운동가	사회와 하나 되는 운동가
엄격한 규율	융통성 있는 규율

'오늘이 바로 혁명의 날이다'라는 말은 결코 행복을 그 여정의 끝 어딘가에 있는 것으로 생각하지 않는다는 뜻이다. 투쟁하는 사람들의 공동체는 투쟁 그 자체가 즐겁고 행복하며 개인의 성취감을 맛볼 수 있는 공간이다.

과거 운동과 다른 운동 문화는 새로운 반자본주의 운동을 실천하고 투쟁하는 모습에서 잘 드러난다. 경찰의 탄압을 저지하기 위해 광대 옷을 입거나 꽃을 나누어 주는 '장난스런 전술'을 사용하기도 한다. 이런 투쟁은 어찌 보면 한바탕 축제와도 같다.

이러한 새로운 운동 문화는 한편으로 예술과 정치 사이의 좀 더 긴밀한 관계를 보여 주기도 한다. 전통적인 운동 문화에서 예술 활동의 역할은 상당히 제한되어 있었고 심지어 '액세서리' 같은 역할을 하는 경우도 많았다. 하지만 바로 '지금 여기'에서 새 세상을 만들고자 하는 활동가들의 주요한 과제는 무엇보다 예술가들의 활동과 밀접하게 관련될 수밖에 없다. 이런 관계 속에서 예술가와 활동가는 서로 창의성을 공유하게 된다.

새로운 세상을 만드는 작업실

여러 실천적 예술가 집단은 대중 교육이나 주장을 전달할 때뿐 아니라 직접행동의 현장에서도 없어서는 안 될 중요한 역할을 맡아서 활약하고 있다. 예술가의 창조성과 소통 능력은 현장에서 빛을 발하는 법이다.

4
사파티스타에서 시애틀까지

오늘날 반자본주의 운동은 다음 두 가지 차원의 활동에 힘을 집중하고 있다.
그 하나가 지방, 도시, 마을, 일터같은 생활공간이라고 할 수 있다.
또 하나는 전 지구적 공간인데, 국제기구에 저항하는 투쟁, 세계 정상회담 저지운동,
초국적 자본에 맞서 싸우는 일들이 여기에 해당한다.
전 세계에서 펼쳐지고 있는 반자본주의 운동의 구체적인 사례를 살펴보자.

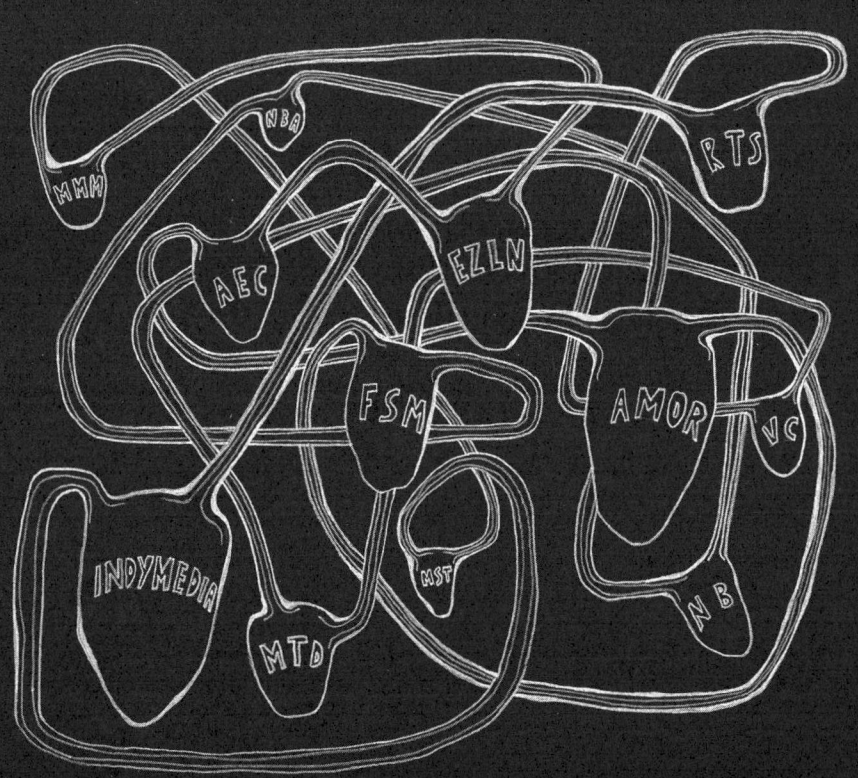

사파티스타, 싸움에 앞장선 멕시코 원주민

새로운 반자본주의 운동을 만들어 내는 데 전 세계의 여러 정치 집단이 큰 역할을 한 것은 사실이지만, 처음으로 세계 규모의 움직임이 나타난 것은 바로 토착 원주민 마을을 중심으로 시작된 운동이라 할 수 있다. 사파티스타 운동은 5백 년 동안 계속된 백인과 자본주의의 학대로 고통 받던 멕시코 남부의 원주민 부족들의 기나긴 투쟁 전통을 이어 받아 자신들의 생활양식을 지키는 운동을 발전시켰다. 사파티스타는 그 동안 볼 수 없었던 획기적인 방법을 실현해 냈다.

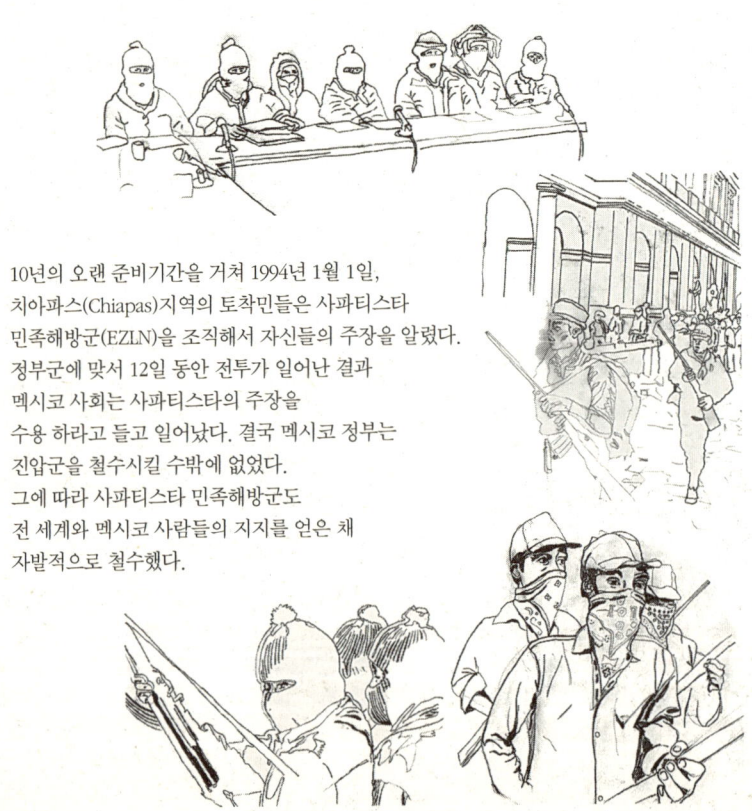

10년의 오랜 준비기간을 거쳐 1994년 1월 1일, 치아파스(Chiapas)지역의 토착민들은 사파티스타 민족해방군(EZLN)을 조직해서 자신들의 주장을 알렸다. 정부군에 맞서 12일 동안 전투가 일어난 결과 멕시코 사회는 사파티스타의 주장을 수용 하라고 들고 일어났다. 결국 멕시코 정부는 진압군을 철수시킬 수밖에 없었다. 그에 따라 사파티스타 민족해방군도 전 세계와 멕시코 사람들의 지지를 얻은 채 자발적으로 철수했다.

사파티스타의 정치는 새로운 반자본주의 운동의 주요 특징들을 잘 보여준다. 비록 군사 조직을 통해 무장투쟁의 전술을 이용했을지라도 그들의 주장은 전투적인 것과 거리가 멀다.

사파티스타는 엄격한 위계질서와 전위조직의 개념을 부정하고 사회운동 간의 폭넓은 합의를 통해 행동하려고 한다. 이러한 목적에 따라 "복종하며 지시한다" 또는 "가장 느린 사람의 걸음에 발맞춘다" 같은 원칙을 중요하게 여기고 있다.

대변인 마르코스 부사령관은 유쾌하고 시적인 감성이 풍부한 것으로 잘 알려져 있다. 그는 파괴가 아니라 다양성에 기초한 새로운 사회 건설을 이야기하고 있다. 사파티스타는 하나의 '체제'나 '진실'을 강요당하는 현실을 거부하고 "다양한 세계를 받아들일 수 있는 하나의 세상을 만든다"는 목표를 가지고 있다.

사파티스타는 자신들의 목적이 '권력을 잡는 것'이 아니라 좀 더 근본적인 문제를 해결하는 것이라고 강조하고 있다. 그것은 바로 권력관계의 소멸이다. 이러한 점에서 사파티스타의 전략은 자율주의를 염두에 두고 있다. 토착 원주민들의 봉기는 치아파스 지역을 해방시켰고 스스로 원하는 방식으로 살아갈 수 있는 세상으로 변화시키기 위한 토지의 중요성을 강조한다. 이들에게 혁명이란, 하나의 사건이나 성취해야 하는 목표가 아니라 새로운 세상을 건설하는 끊임없는 과정이다.

사파티스타는 투쟁의 다양성을 인정하고 서로 간에 우열을 매길 수 없다는 주장을 일관되게 표명하고 있다.

사파티스타야말로 세계 곳곳에서 일어나는 다양한 투쟁을 연결하는 국제 네트워크를 처음 만들어 낸 사람들이라 할 수 있다. 사파티스타의 요청으로 1996년 6월 치아파스에는 40개가 넘는 나라에서 온 활동가들이 한자리에 모였다. '인류를 위해 신자유주의에 대항하는 제1회 대륙간회의' 라는 이름으로 자본의 세계화에 대항하는 첫 국제회의가 열린 것이다.

제2회 대회는 1997년 바르셀로나에서 열렸다. 그 자리에서 지구민중행동(PGA)을 조직하자는 제안이 채택되었다. 지구민중행동은 전 세계에서 가장 중요한 사회운동 네트워크 가운데 하나로서 1998년에 처음으로 대회가 열렸다. 그 뒤로 지구민중행동은 토착 원주민이나 농민, 노동자를 비롯한 사회운동가들을 위한 거점 같은 역할을 해 주고 있다.

관련 사이트
www.ezln.org
www.conaie.nativeweb.org
www.iwgia.

토지 없는 농민들의 투쟁과 '비아 캄페시나'

농민들은 새로운 반자본주의 운동이 출현한 이래 가장 활발하게 싸운 사회적 주체 가운데 하나이다. '토지 없는 농민운동'(MST)은 브라질 23개 주에서 150만 명의 농민들이 참여한 거대한 운동이다.

이 조직은 1985년, 군사독재 정권이 추진한 농업기술 정책과 대 농장들의 횡포에 대항하여 결성되었다. 이 때문에 수천의 농민 가족들이 농지에서 쫓겨나게 되었다.

'토지 없는 농민운동'은 자신들의 농지개혁 투쟁을, 연대와 '새로운 가치'에 바탕을 두고 착취 없는 평등 사회를 건설하려는 커다란 계획의 일환이라고 규정한다. 가난하고 억압받는 사람들의 존엄성 회복은 이들 농민에게 진정한 '문화 혁명'인 셈이다. 지도 체제는 과거의 전통 조직들보다는 훨씬 느슨한 구조를 가지고 있다. 그들에게 정치 활동의 근본은 무엇보다 위계적이지 않은 방식을 통해 농민들의 의사 결정권과 그 능력을 발전시키는 일이다.

이 농민운동의 기본적인 투쟁 방식은 직접행동이다. 조직이 창립된 이래 시위나 단식투쟁 말고도 소수의 수중에 있던 수천 헥타르의 땅을 몰수하고, 대규모 농장이나 공공건물, 다국적 기업을 점거한 바 있다. 심지어 유전자 변형 작물의 재배를 금지하는 소송을 제기하기도 했다.

'토지 없는 농민운동'은 노동자 정당을 결성하는 데 참여하기도 했지만, 줄곧 독립적이고 자율적인 입장을 유지했으며 선거 때 나타나는 정치적 요구에 휩쓸리지도 않았다. 자율적 공간의 건설은 이 운동의 토대가 되었다. 농민들은 스스로 농업 생산을 조직화하고 자주관리 원칙에 따라 협동조합을 만들어 냈다. 나아가 유통과 서비스, 대출 같은 영역까지 사업을 확대함으로써 거대 기업의 지배에서 벗어날 수 있었다.

한편, 농민들은 교육에도 힘을 기울여 자립학교를 수백 개나 만들었는데, 이런 노력도 바로 자율적 공간을 건설하려는 좋은 예라 할 수 있다. 국제주의적 관점, 자연 환경의 보호와 양성 평등을 추구하는 모습은 '토지 없는 농민운동'의 정책에서 나타나는 중요한 특징이다.

브라질의 '토지 없는 농민운동'을 비롯한 전 세계의 농민조직들은 1992년 '비아 캄페시아'(Via Campesina, 농민의 희망)라는 세계 규모의 거대한 운동 연합체를 만들었다. 비아 캄페시아는 신자유주의에 맞서 중소 규모 농업 생산자들의 투쟁을 조율하는 '자율'과 '다양성'의 공간이다. 이들은 모든 민족의 식량 주권, 농지개혁과 토지의 사회적 소유, 지속 가능한 농업, 양성 평등, 인권 보호, '생물 다양성'을 추구하고 있다.

비아 캄페시아는 농업 분야 말고도 세계의 여러 다른 사회운동들과 연대해서 싸워야 한다는 것을 잘 알고 있다. 이들은 시애틀 시위에 대규모로 참가하는 등 세계화 반대운동에 적극적으로 공헌하고 있다.

관련 사이트
www.mst.org.bro
www.mstbrazil.org
www.viacampesina.org

피케테로스와 노동자 자주관리 공장

노동자들 또한 새로운 반자본주의 운동에 참여하는 주요한 사회 집단이다. 만성적 실업, 빈곤과 사회적 소외가 심화됨으로써 반자본주의 운동은 가장 급진적인 실험으로 나아가게 되었다.

좋은 예가 1997년에 조직되기 시작한 아르헨티나의 솔라노 실업자 노조운동(MTD)의 피케테로스(Piqueteros, 거리 시위대)들이다. 실업자 운동은 일자리를 잃은 노동자와 일자리를 찾지 못하는 청년들이 주축이 되었다.

우리는 권력을 원하지도, 투쟁 조직의 간부가 되고 싶지도 않아. 중요한 건 조직의 경험들을 쌓아 가는 것이지, 조직의 이름을 알리는 게 아니야.

실업자 노조운동의 목적은 무엇보다 실천을 통해 일자리를 찾고, 인간의 '존엄성'을 회복하여 '사회변혁'을 이루어 내는 것이다. 이 운동의 조직에는 고정된 대표자가 없고 전체의 합의에 따라 결정을 내리고 집회의 형식도 논의한다. 또한 모든 사람이 의사 결정에 참여할 수 있도록 대중교육에 많은 노력을 기울이고 있다. 형식적인 '강령'이나 틀에 박힌 논리를 거부하고 복합성과 다양성을 중요하게 생각한다.

자율성의 원리는 그들이 지향하는 주요한 정치노선이다. '실업자 노조 운동'은 투쟁의 과정 속에서 만들어지는 새로운 종류의 사회 관계망과 공간을 강화시키고 있다. 따라서 '당면한 정치'나 공직 선거에 참여하지는 않는다. 자주관리 경제를 건설하는 것이 '대항 권력'을 실현하기 위한 가장 중요한 과제라고 보고, 빵 가게나 벽돌 생산 같은 비상업적인 사업을 평등한 기준에 따라 운영하기도 한다.

직접행동은 실업자 운동에서 또 하나의 중요한 원칙이다. 이들이 투쟁할 때 쓰는 주요한 전술 가운데 하나가 상품의 유통을 막기 위해 도로를 점거하는 '피케테스'(piquetes)이다. 이 운동은 다른 사회 집단과 협력하는 것을 기본 정책으로 삼는데, 농민 조직이나 학생연합, 주민회의 같은 단체들과 연대 공간을 만들어 간다. 그런가 하면 전 세계 다른 나라들의 조직이나 경험에도 적극적인 관심을 보여 주고 있다.

우리는 권력 따위에 관심이 없어. 그 동안 우리가 살고자 했던 방식으로 살고 싶을 뿐이야. 혁명을 기다릴 필요는 없지. 우리는 벌써 혁명을 하고 있으니까. 뭔가 하고 싶은 게 있다면 실천을 통해 이루어 나갈테야.

한편 아르헨티나에서는, 일반 노동자들이 직접행동이라는 새로운 전술을 통해 실업 문제에 저항하는 일도 있었다. 2001년 말부터는 기업이 더 많은 이윤을 찾아 자본을 이동시킬 때 마다 발생하는 폐업과 해고에 저항하는 공장 노동자들이 증가했다.

이를테면 브루크만[■]의 노동자들은 강제적인 실업의 위협에 앞서 폐쇄 직전의 공장을 점거하여 자주적이고 협동적인 방식으로 공장을 운영하기로 결정했다. 노동자들의 공장점유 운동은 바로 수평적이고 자율적인 실천과 직접 행동의 양식을 결합한 것이다.

관련 사이트
www.solano.mtd.org.ar
www.mner.org.ar
www.fabricasrecuperadas.org.ar

■ 브루크만(BRUCKMAN)　파산한 아르헨티나의 섬유공장. 노동자들이 공장을 점거하여 운영했지만, 2003년 4월 18일 부에노스아이레스 시 당국에 의해 폐쇄되었다.

세계여성행진, 착취와 가부장제에 맞서는 여성들

페미니스트들은 대개 여성들이 겪는 폭력이나 착취가 자본주의 제도와 밀접한 관계가 있다고 생각한다. 특히 가난한 나라 여성들의 처지는 그 정도가 더욱 심하다. 이런 상황을 뚫고 1995년 캐나다의 퀘벡여성연맹이 다른 여러 사회단체들과 함께 자신들의 투쟁을 국제적으로 확산시키기 위해 실천을 계획했다.

세계여성행진
5년 동안 준비한 끝에
2000년 세계여성행진(WMW)이 실현되었다.
전 세계 161개국의 6천여 단체들이 모인 가운데 열렸다.
이 행사에서 세계화된 자본주의와 가부장제가 가져온 여성에 대한 '이중 착취'를 고발했다.

세계여성행진은 그 동안 페미니스트들이 갖고 있던 문제의식과 경험을 교류하며 성장해 온 오랜 과정에 기반을 두고 있다. 여성과 남성의 평등을 이루고 의사 결정에 공동으로 참여하기 위한 전략으로 대중 교육 프로젝트를 개발해 냈다.

세계여성행진은 과거의 여성주의자들이 추구하던 틀을 넘어 전 세계에서 일어나는 저항운동과 폭 넓은 연대를 지향했다. 이들에게 '빈곤에 맞선 투쟁'은 신자유주의라는 유일한 경제 체제의 지배에 저항하는 것을 의미하며, 여성들의 '사회 경제적 자율성'을 확보하기 위한 투쟁이다. 이들은 세계은행(World Bank), 세계무역기구(WTO), 국제통화기금(IMF), 북대서양조약기구(NATO) 등 국제기구의 정책을 엄중히 비판했다. 그 밖에 가사노동의 가치 인정, 외채 문제 해결, 지구의 자원을 균등하고 공정하게 배분할 것, 금융시장의 사회적 통제, 세계의 비군사화 등을 요구했다. 단순한 여성의 권리만을 주장하던 과거의 여성운동과는 사뭇 다른 모습이다.

또한 자본의 세계화가 특히 여성에게 끼치는 영향으로 광고를 통해 자행되는 신체의 상품화, 공공 예산 삭감, 고용의 불안정이 심각한 문제라고 지적했다.

관련 사이트
www.ffq.qc.ca/marche2000

■ 세계 여성의 날인 3월 8일 브라질 상파울루를 출발한 '2005 세계여성행진'은 53개 나라를 거쳐 빈곤 철폐의 날인 10월 17일 아프리카 부르키나파소에 도착했다. 그 과정에서 7월에 서울의 대학로에서 종묘까지 '빈곤과 폭력에 저항하는 여성행진'이 열렸다(옮긴이)

나르마다 살리기와 거리 되찾기

자본주의의 병폐 가운데 가장 심각한 것 중의 하나가 바로 자연 환경의 파괴와 공적 공간의 침해인데, 그 속도가 놀랍도록 빠르다. 환경과 공적 공간을 지키려는 사람들은 점점 이러한 문제들이 자본주의와 밀접한 관계가 있음을 깨닫고 있다. 나르마다 살리기 운동이 바로 그런 예라고 할 수 있다. 이 운동은 인도의 나르마다 강에 공업용수 공급을 위한 댐을 건설하려 하자 그 지역 주민들이 반대하면서 그 투쟁 시작되었다.

댐 건설은 농지 수천 헥타르를 수몰시키는 것과 동시에 수많은 농촌 주민이 강제로 쫓겨난다는 것을 의미했다. 게다가 그 동안 사람들 손이 미치지 않았던 산림을 파괴함으로써 지역 전체의 생태계 균형을 깨뜨릴 게 뻔했다.

1980년대 '나르마다 살리기'(NBA)라는 단체가 창설됨으로써 댐 건설에 반대하던 여러 단체가 힘을 모을 수 있었고, 인도와 다른 여러 나라의 환경운동이 만나게 되는 계기가 되었다.

'나르마다 살리기' 운동은 여러 차례의 대규모 직접행동과 많은 사람들의 움직임을 통해 발상의 전환을 일으키는 데 성공했다. 그것은 바로 지역 주민들은 자신들의 주거 환경에 영향이 미칠 수 있다면 지방이나 국가, 심지어 국제적 수준에서라도 그 의사 결정에 참여할 권리가 있다는 생각이다.

실제로, '나르마다 살리기' 운동은 세계적 반향을 불러일으킴으로써 댐 건설 프로젝트에 자금을 융자한 세계은행이 정책을 재검토할 수밖에 없도록 했다. 세계은행은 지역 주민들과 협상했고 댐 건설 자금을 지원하기 전에 환경보호 기준을 마련하도록 압박을 받았다. 나르마다 운동은 '지속 가능한 개발'이라는 문제를 처음으로 세계적 이슈로 만들었고, 평범한 사람들에게도 어떤 종류의 투자와 경제 발전이 인류를 위한 것인지 결정할 권리가 있음을 명확히 밝힌 운동이었다.

'거리 되찾기'(RTS) 운동은 1995년 런던의 대안 예술가들과 '오쿠파스'(점유자)라는 급진적 환경주의자들에 의해 만들어졌다. 초기 아이디어는 아주 단순했다. 공적 공간의 사유화와 개발에 항의하는 뜻으로 도로에서 거대한 깜짝 '축제'를 열어 교통 흐름을 막는 방식이었다. 거리 되찾기 '축제'에는 시민 2만여 명이 참가하기에 이르렀고, 곧 그들의 생각은 무려 20개 나라로 전파되었다.

거리 되찾기 운동의 중요한 특징은 기발한 아이디어였는데, 활기차고 장난스러운 방식이라고 해서 급진주의에 장애가 되지는 않았다. 활동가들이 런던 고속도로의 아스팔트를 파 내고 나무를 심은 사건은 전설적인 '축제'로 남아 있다. 이런 행동을 통해 "이 아스팔트 아래에 숲이 있다!"는 메시지를 전하고자 했던 것이다.

관련 사이트
www.narmada.org
www.gn.apc.org/rts
www.reclaimthestreets.net

국경 없는 네트워크, 국경과 인종주의에 도전하는 이민자들

전 세계 수백만 명의 사람들은 새로운 기회를 찾아 고향을 떠나지만 다른 나라에서 차별과 극단적인 착취를 당하고 있다. 이런 이주민을 통제하기 위해 자본주의는 여러 가지 형태의 인종주의와 억압 장치를 강화하고 국가-민족이라는 개념을 이용해 외국인이라 규정되는 모든 사람들에게 정치적 권리를 제한했다. 이런 억압에 저항하는 이민자들은 국가 정체성을 뛰어넘는 여러 형태의 조직을 구상하게 되었다 그런 노력의 하나로 유럽 지역의 반자본주의자와 반인종주의자들에 의해 '국경 없는 모임'(NB: No Borders)을 결성되었다.

국경 없는 모임은 '불법 체류' 이주민들의 조직과 협력하여 활동하고 있다. 이들은 직접행동과 문화적 개입을 통해 악명 높은 '불법 체류자 수용 시설'의 존재를 규탄하고 나섰다. 나라마다 이민 정책 기관은 '합당한 서류'가 구비되지 못했다고 해서 이동의 자유를 비롯한 기본적인 인권을 탄압하는데, 이런 행위의 부당성을 알려 낸 것이다.

가장 잘 알려진 활동이 바로 '국경 캠프'라는 것이다. 국경을 사이에 두고 양쪽 나라의 이주자와 활동가들이 모임으로써 한 순간 국가의 영토 주권을 소멸시키는 행위이다.

국경 없는 네트워크는 여러 활동을 하는 가운데 '지구 시민'이라는 혁명적 아이디어를 고안해 냈다. 다시 말해, 어디를 가든지 시민으로서 정치적 권리는 변하지 않는다는 주장이다.

관련 사이트
www.noborder.eu.org
www.sindominio.net/ninguna

반사유화포럼, '민영화'에 반대하는 가난한 사람들

자원을 몇몇 사람들 손에 장기적으로 집중시킴으로써 자본주의는 존속한다. 따라서 대다수 사람들은 자원을 빼앗기고 소외될 수밖에 없다.

공공 서비스 분야가 '민영화'(사유화)될수록 점점 많은 사람들이 기본적 권리로부터 멀어지게 된다. 전 세계적으로 사유화 반대 운동이 확산되는 현상은 결코 우연이 아니다.

남아프리카 반사유화포럼(APF)을 구성하는 조직들이 바로 그 좋은 예라고 할 수 있다. 2000년에 노동조합, 지역 조직, 활동가, 학생 그리고 좌파 정당이 중심이 되어 결성된 포럼은 사유화 반대투쟁을 벌이고 빈민들에게 상수도와 전기의 무상 공급을 요구했다. 반사유화포럼은 자본주의와 지배계급이 추진하는 '민영화'의 속내를 폭로하고 지역의 풀뿌리 대중교육에 힘을 쏟고 있다.

반사유화포럼에 속하는 몇 단체들은 전 세계에 걸쳐 아주 기발한 직접행동 전략을 선보였다. 남아프리카공화국의 흑인 도시 소웨토(Soweto)에서 만들어진 '재접속 특수부대'는 전기요금을 내지 못해서 전기가 끊긴 사람들을 위해 불법으로 전선을 연결해 주는 활동을 전개했다.

한편, 케이프타운에는 여러 빈민지역의 주민들로 구성된 '퇴거반대운동'(AEC)이라는 조직이 활발하게 움직이고 있다. 이 운동의 목적은 은행에 대출금을 갚지 못해 주거지에서 사람들이 쫓겨나는 것을 막는 것이다. 이들은 퇴거 조치에 맞서 강력히 저항하고, 쫓겨난 가족들을 다시 정착시키거나 정부 건물들을 점거하는 등 직접행동에 나서고 있다.

하루하루 구체적인 실천을 통해 자본주의에 맞서면서, 남아프리카 사람들은 '사유화되지 않은' 세상을 지키고 지금까지와는 다른 사회관계를 만들어 가고 있다.

관련 사이트
www.apf.org.za
www.antieviction.org.za

대안 미디어 – 정치 예술, 광고 게릴라에서 독립 미디어까지

우리가 일상적으로 주고받는 메시지를 누군가 통제하려는 노력을 끊임없이 하고 있다는 사실을 알고 있는가? 자본주의는 정보를 차단하기도 하고 광고 같은 수단을 통해 대중매체나 인터넷을 장악하거나 소유권을 통해 직접 지배하기도 한다. 반자본주의 운동은 벌써 오래전부터 이러한 문화적 지배를 막을 수 있는 소통 방식을 모색해 왔다. 독자적인 신문을 발행하거나 예술을 통해 정치적 주장을 전달하는 방식도 이런 실천 가운데 하나이다. 최근에는 광고 전략을 이용하여 기업이나 국가의 일방적인 주장과 선전을 무력화시키기도 한다.

캐나다의 광고 게릴라
애드버스터(Adbusters)의 작품들

사람들이 '해적 광고' 또는 '게릴라 광고'라고 부르는 이러한 전술은 특히 1980년부터 활발해지기 시작했다.

요즘은 인터넷 덕분에 독립적으로 정보를 다루는 미디어 공간이 크게 확대되었다. 독립 미디어와 국제 네트워크가 그 대표적인 사례이다. 최초의 독립미디어센터(IMC)는 1999년 시애틀 각료회의에 반대하는 뉴스를 다루기 위해 만들어졌다. 신문이나 방송이 정확한 정보를 전달해 주지 않을 것을 미리 예측하고 독립 언론인들과 활동가들이 인터넷 사이트를 만들고 독자적으로 정보를 수집해서 보도했다.

시위가 진행되는 동안 독립 미디어의 새로운 사이트는 100만 회가 넘는 접속을 기록했다. 시엔엔(CNN) 같은 뉴스 채널을 능가하는 성과였다. 이러한 성공은 사실과 정보를 다루는 대안 미디어의 중요성을 보여 주었다.

독립 미디어는 자율적으로 정보의 생산과 유통에 참여하는 쌍방향 통신이기 때문에 자본주의에 맞서는 새로운 운동에 알맞은 수단이다. 독립미디어센터의 정보나 기사뿐 아니라, 누구든지 기자가 되어 뉴스를 내보낼 수 있기 때문이다. 독립미디어센터는 도시마다 조금씩은 다른 특징을 가지고 있지만, 대개 자발적인 활동가들에 의해 수평적으로 운영되고 있고 누구든지 참여할 수 있도록 열려 있다. 이러한 자발적인 활동가(기자)들은 종종 사회운동 단체들과 긴밀한 연락 관계를 유지하며 독자적인 정보를 전달하는 데 필요한 지식들을 얻기도 한다.

대안 정보 네트워크

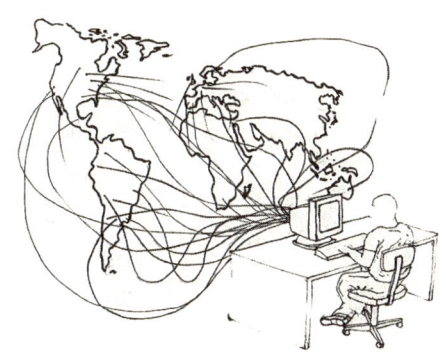

독립 미디어는 단기간에 신뢰할 만한 정보 채널이 되었고, 동시에 사회운동에서 없어서는 안 될 주요한 수단이 되었다. 오늘날 전 세계에 걸쳐 수십 개 도시에 독립 미디어 사이트가 존재하고 이용자도 수백만 명이 넘는다.

관련 사이트
www.indymedia.org
www.adbusters.org
www.artandrevolution.org
www.gacgrupo.tripod.com.ar

세계사회포럼, 의사소통과 실천의 네트워크

몇 해 전부터 새로운 반자본주의 운동은 국제적으로 소통하고 협력하기 위한 네트워크를 만들어 왔다. 앞에서 언급한 지구민중행동(PGA)이 바로 그 대표적인 것으로 직접행동 네트워크라고도 한다. 이 단체는 미국의 여러 도시에서 각종 실천 행동을 수평적인 형태로 조율하는 역할을 한다. 그 밖에 좀 더 구체적인 사안들을 중심으로 벌이는 '캠페인' 같은 것도 직접행동의 또 다른 형태라 할 수 있다.

이런 캠페인이 자본주의 체제 자체를 문제 삼지는 않지만, 여기에서 나오는 아주 구체적인 이슈는 자본주의 일반에 대한 비판에 힘을 싫어 주기도 한다. 때때로 여러 반자본주의 단체들 간의 일상적인 행동들을 하나로 묶어 내는 계기가 되기도 한다.

세계사회포럼(WSF)은 전 세계에서 나타나고 있는 운동과 조직이 서로 소통하는 데 아주 큰 역할을 했다. 제1회 세계사회포럼은 브라질과 유럽의 운동 단체들이 제안하여, 2001년 1월 브라질의 포르투알레그레(Porto Alegre)에서 열렸다.

세계사회포럼은 애초에, 자본가와 정부 관료 그리고 신자유주의 '지도자'들이 모인 다보스 세계경제포럼에 대항하는 역할을 기대했을 뿐이다. 그러나 1만5천 명이 넘는 활동가와 사회운동 단체의 대표, 지식인들이 모여들어 서로의 경험과 생각을 폭넓게 교환하게 되었다. 이런 경험의 성과는 기대를 훨씬 뛰어넘는 것이었다. 세계사회포럼은 첫 회의 때부터 세계 규모에서 투쟁을 연결하는 강력한 수단으로서 힘을 발휘했던 것이다.

제2회 세계사회포럼은 전 세계에서 5만 명이 넘는 참가자들이 모여 진지한 논쟁을 이어갔다. 이때 대륙 단위를 묶는 사회포럼도 만들어지기 시작했고, 서로의 생각과 경험을 주고받는 내용도 깊이를 더해 갔다.
　2003년에 열린 세 번째 포럼에서는 10만여 명이 참여했는데, 좀 더 지속적인 형태로 투쟁을 연결하기 위한 사회운동 세계네트워크 결성이 제기되기에 이르렀다.

　:: 얼마 전부터, 세계사회포럼은 운동 내부에서 몇 가지 비판이 나왔다. 비록 정치노선을 통일하려는 의도는 없지만, 다소 불투명한 부분과 위계질서 같은 문제가 남아 있다. 또한 자본주의를 넘어서는 사회관계를 지향하기보다는 단지 현재의 체제를 '인간적인' 것으로 변화시키려는 비정부기구들과 공존하는 문제도 중요한 과제이다.

관련 사이트
www.agp.org
www.forumsocialmundial.org.br
www.directactionnetwork.org

시애틀 시위와 세계 행동의 날

자본주의에 저항하는 단체와 운동의 네트워크는 날이 갈수록 수가 증가하고 강화되고 있다. 이미 전 지구적 저항운동이 하나로 연결되었다고 생각하는 사람도 많다. 비록 걸음마 단계이고 다양한 운동 단체들이 함께하지만, 세계적 규모로 행동할 수 있는 역량도 갖고 있다.

:: 일반 언론들은 이런 운동을 종종 '반세계화 운동'이라고 부르고, 거기에 참여하는 사람들을 '세계화 혐오증 환자'라고 말한다. 하지만 이런 표현은 잘못된 것이다. 아무도 세계화 자체를 부정하고 있는 사람은 없다. 단지 자본의 세계화를 거부하고 있을 뿐이다. 실제로 많은 활동가들은 이런 운동을 '지구화 운동' 또는 '대안적 세계화'라고 불리길 원한다.

'세계 행동의 날'(GAD)은 세계적 규모에서 공동 행동의 역량을 보여 주는 성공적인 예라고 할 수 있다. 세계 행동의 날은 전 세계 곳곳의 여러 운동과 단체가 협력해서 조직한 실천 방식이다. 이제 여러 도시에서 동시 다발적으로 행동을 전개하거나 전 세계 곳곳의 사람들이 한 곳에 집중하는 행동 실천도 가능해졌다. 사람들을 묶어 주는 느슨한 네트워크가 특정한 이슈에 집중하여 연대하는 순간 그 힘을 발휘하게 된다.

마침내 4만 명에 가까운 사람들이
시애틀에 모여 시위를 벌였다.

그 좋은 예로 1999년 11월에 있었던 '시애틀 반란'을 들수있는데, 1년에 걸쳐 수십 개의 운동 단체들이 거대한 직접행동을 조직하기 위해 고군분투했다. 가난한 나라들과 노동자들에게 더 많은 고통을 가져다줄 것이 분명한 자유무역을 확대하는 WTO 회의 개최를 저지하는 게 목적 이었다. 많은 참여 단체들이 수평적인 방식으로 논쟁하며 행동을 계획 했는데, 이 연대의 틀은 수 백 명의 사람들로 구성된 대변인들의 평의회였다.

3일 동안의 경찰과 대치하며 가혹한 탄압을 견뎌낸 끝에, 참가자들은 WTO 회의가 열리는 것을 저지 하는 데 성공했다.

시애틀 행동의 또 하나의 성과는 바로 수많은 사회적 주체들을 한데 모으는 데 성공했다는 점이다. 노동조합, 환경 단체, 사회주의자, 아나키스트, 제3세계 노동자와 제1세계 소비자들, 농민, 예술가, 페미니스트, 토착 원주민들 모두 한목소리로 자본주의를 반대하고 저마다의 요구를 표출했다. 시애틀 시위는 전 세계의 수많은 사람들이 함께 싸울 수 있다는 메시지를 던져 주었다. 그 뒤에도 이어진 '세계 행동의 날'은 해를 거듭할수록 급진적이고 활발하게 발전해 갔다.

주요 세계 행동의 날과 이슈

- **2000년 9월 26일 프라하**
  국제통화기금과 세계은행 회의 반대

- **2001년 4월 20 – 22일 퀘벡**
  아메리카 대륙 정상회담과 아메리카자유무역지역(FTAA) 반대

- **2001년 7월 15 – 22일 제노바**
  G8 정상회의 반대

- **2003년 2월 15일**
  전 세계 수백 개의 도시에서 이라크전쟁에 반대한 시위행진

정상회의에 반대하는 시위가 확대됨에 따라 각국의 정상들은 캐나다의 높은 산꼭대기나 절대군주제가 확고한 카타르 같은 나라에서 회의를 할 수밖에 없었다. 튼튼한 방어벽이 있는 곳이나 사람들이 접근하기 어려운 장소에 숨을 수밖에 없기 때문이다.

관련 사이트
www.protest.net
www.wtocaravan.org
www.x21.org/s26
www.a20.org
www.genoa-g8.org

5
새로운 사회를 위하여

새로운 반자본주의 운동은 유일한 사상이나 단일한 강령을 갖고 있지 않다.
구체적인 상황에 알맞은 실천과 투쟁을 통해 연대하고 자본주의에 저항한다.

전 지구적 네트워크

전 세계 네트워크를 통한 끊임없는 '대화'는 세상을 바꾸기 위한 여러 가지 구체적인 대안을 만들어 낸다. 단순히 반자본주의적 주장도 있지만 어떤 제안들은 '인간의 얼굴을 한' 자본주의를 만들어 가자는 폭넓은 주장을 하기도 한다. 이 가운데 어떤 것은 지금이라도 당장 실현 가능한 것도 있고 또 어떤 것들은 그것을 가능하게 할 수 있는 힘을 먼저 이끌어 내야 하는 경우도 있다.

구체적인 대안을 몇 가지 살펴보자. 물론 그 자체만으로는 '세상을 바꾸는 데' 부족한 것들도 많다. 그러나 짧은 시간에 부분적인 변화를 이끌어 낼 수 있는 제안도 살펴볼 필요가 있다. 마지막 부분에서는 착취와 억압 없는 사회를 만드는 총체적 변혁 프로젝트를 소개해 볼까 한다.

소득의 세계화와 재분배

가장 부유한 나라의 소득을 가장 가난한 나라들로 즉각 양도하는 방법이 있는데, 이는 단기간에 부분적으로나마 제3세계에 대한 착취를 막을 수 있는 구체적인 방책이다.

5 새로운 사회를 위하여

구체적 제안
- 즉각적 외채 탕감과 국제통화기금(IMF) 해체
- '공정한 무역' 기준 마련
  부유한 나라들은 제3세계의 수입품에 더 높은 가격을 지불해야 한다.
- '수출자유지역' 폐지
  기업은 이 제도를 통해 가난한 나라의 노동자들을 노예처럼 부려 먹는다.
- 전 세계에 적용할 수 있는 노동 기준 마련
  아동노동 금지, 노동자의 안전 보호, 장시간 노동 규제 등.
- 국경을 뛰어넘는 노동자 조직(특히 다국적 기업의 노동조합 결성)
  기업의 일방적인 임금 삭감 방지.

관련 사이트
www.rcade.org
www.jubileeresearch.org
www.odiousdebts.org

자본의 이동을 통제한다

자본의 자유로운 이동이 날이 갈수록 인류에게 고통을 안겨 주고 있다는 사실을 아는가? 이러한 상황을 짧은 시간 안에 바꾸기 위한 다양한 제안들을 살펴보자.

구체적 제안

- 투기 자본의 금융 거래를 제안하는 법률 제정.
- '탈세' 와 '돈 세탁' 의 온상인 '조세회피국' 제도와 비밀은행 폐지.
- 노동자 스스로 연금과 퇴직금의 운용을 결정할 수 있는 권리 되찾기.
  오늘날 대부분의 경우 이런 자금들은 금융 회사에 맡겨져 결국은 노동자들에게 오히려 피해를 주는 곳에 투자된다.
- '책임 투자' 의 기준 마련. 자신들의 예금을 어디 은행에 투자하고 있는지 시민들에게 알려 주는 제도이다.

관련 사이트
www.bicusa.org
www.globalexchange.org
www.attac.org
www.econjustice.org
www.oxfam.org

환경 위기의 해결 방안들

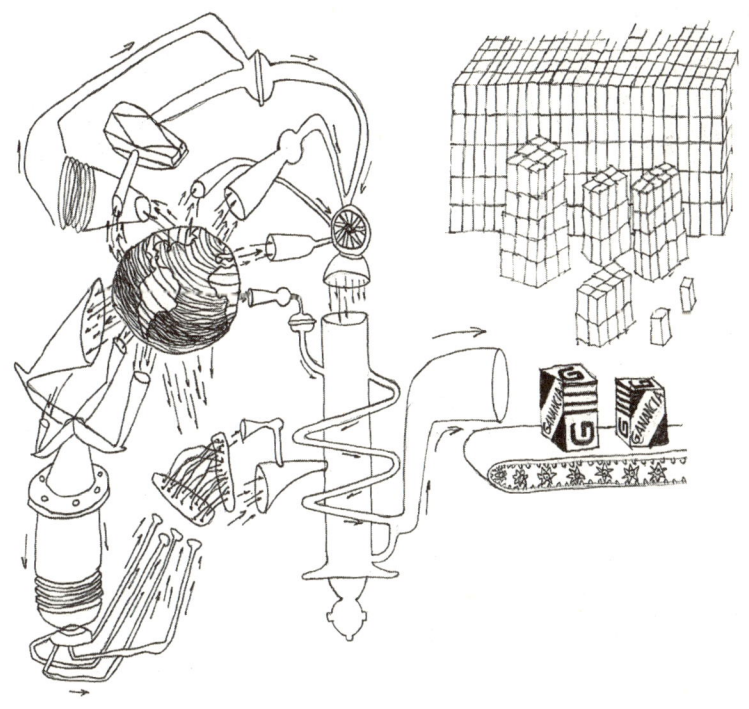

위험한 상황까지 이른 환경 파괴를 막고 지속 가능한 발전으로 나아가기 위한 수많은 대책이 있다. 예를 들면, 인류의 재산이라 할 수 있는 공기 같은 천연 자원이 오염되도록 방치하는 나라에 벌금을 부과한다든지, 친환경 제품의 사용을 권장하는 조세와 거래 기준을 만드는 것 등이 그런 방법이다. 또한 기업들은 자신들이 발생시킨 환경 파괴에 대해 즉각 책임을 져야 한다고 주장하는 사람도 있고, 어떤 기술을 도입하고 어떤 소비를 허용할지를 사회가 검토한 뒤 민주적으로 결정해야 한다는 사람도 있다. 심지어 산업혁명 이전 '원래 모습'으로 돌아가자고 주장하는 사람도 생겨났다.

농업 문제를 한번 살펴보자. 토양을 파괴하고 소비자들의 건강을 위협할 뿐 아니라 농업을 거대한 초국적 기업에 종속시키는 유전자 변형 씨앗이나 화학 비료, 농약 사용에 반대하는 움직임이 커지고 있다. 동시에 식량 주권을 주장하는 사람들도 늘어나고 있다. 이들은 국내 생산을 통해 식량을 충분히 자급할 수 있는 능력을 가져야 한다고 주장한다. 나아가 어떤 사람들은 자본보다도 노동력을 많이 투여하는 소규모 친환경 농업 기술을 권장한다.

관련 사이트
www.anbiental.net
www.sindominio.net/ecotopia
www.insurgentdesire.org.uk

www.agroeco.org
www.grain.org
www.eco-action.org

사회적 임금

오늘날 적어도 법적으로는 노동자이건 실업자이건 모든 사람들이 최소한의 수입은 보장받을 수 있는 나라가 많다. 그것은 그야말로 인간으로서 생계를 이어갈 수 있는 최저 소득이다.

관련 사이트
www.rentabasica.org

지구 시민권

모든 사람은 어디에서 태어나고 어디에 있든지 시민으로서 권리를 누릴 수 있어야 한다. 세계 어디든지 자유롭게 다니고 정착해서 살 수 있는 권리를 가져야 한다는 말이다. 민족분리 정책이나 국경 제한, 여권, 비자 제도 따위를 폐지해야 한다.

직접 민주주의와 참가형 민주주의

가능한 많은 사람이 참여할 수 있도록 대의 제도와 정당 선거 시스템을 개혁해 가려는 시도도 있다. 그 가운데 포르투알레그레를 비롯한 몇몇 도시에서 도입한 시민참여예산 제도는 좋은 본보기이다. 시민들이 시 예산 일부분을 어떻게 사용할 것인지 직접 결정하는 방식이다.

한편 어떤 제안은 단순히 예산 사용 권한을 넘어서는 경우도 있다. 다시 말해 지방 의회를 폐지하고 자치단체 단위의 평의회나 모임에 바탕을 둔 직접 민주주의를 실천하는 방식이다. 이런 점에서 머레이 북친(Murray Bookchin)의 '자유주의적 지방자치'나 스티븐 샬롬(Stephen Shalom)의 '참여 정치' 제안은 매우 흥미롭다.

관련 사이트
www.oidpart.com
www.zmag.org/shalompol.htm
www.communalism.or
www.social-ecology.org

상품화되지 않은 교환 형태

오늘날 생산되는 상품 가운데 특히나 컴퓨터, 디자인, 통신, 연예오락, 개인 서비스 같은 것은 노동력이 많이 들어가는 분야이다. 대부분 디지털 방식으로 저장되거나 전달되기 때문이다. 원자재 비용이 많이 들어가지 않는다. 이것을 '비물질적 상품' 이라고 부르는데, 현대사회에서 이런 분야는 점점 그 비중이 커지고 있다.

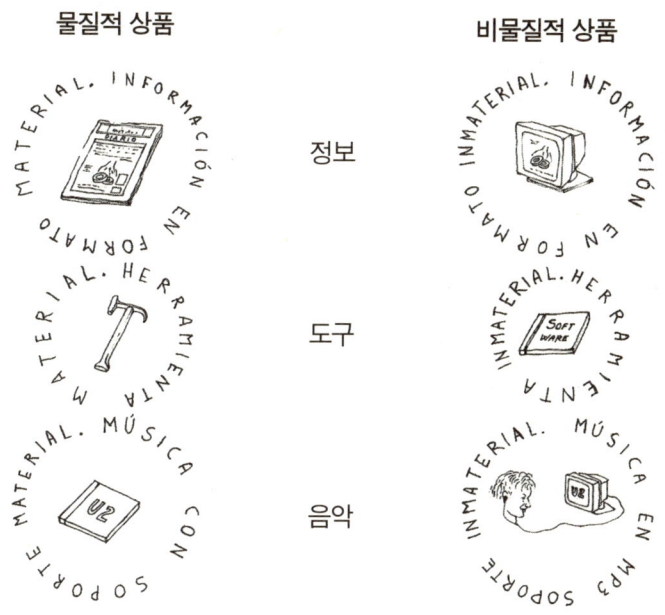

많은 사람들은 이러한 '비물질적 노동' 의 성과를 시장 법칙이나 사유재산권에서 해방시켜 무료로 교환할 수 있게 하자고 주장한다. '프리 소프트웨어' (Free Software)나 '카피레프트' (Copyleft) 운동은 지적재산권을 주장하지 않고 무료로 복사하거나 교환할 수 있도록 하자는 운동으로서 주목할 만하다.

한편으로 시장 밖에서 교환하는 방식을 확대해 가려는 운동도 있다. 예를 들어, 여러 지역에서 소규모의 지역 생산품 구입을 활성화하기 위해 지역 화폐 사용을 시도하고 있다.

또한 '투르케'를 통해 물건을 교환하는 실험도 아주 중요한 경험이지. 특히, 아르헨티나에서는 전국적인 네트워크가 만들어져 수백만 명이 참여했을 정도였다니까.

관련 사이트
www.fsfeurope.org
www.free-soft.org
www.gnu.org/philosophy
www.trueque.org.ar

■ **투르케** 아르헨티나에서 1995년에 시작된 지역 화폐 실험. 수백 개의 지역 단위가 'RGT'(전지구적교환연대)라는 네트워크를 구성해 지폐를 발행하고 유통하며, 단위마다 정기적으로 바자회를 열고 있다.

총체적 변혁을 위한 몇 가지 제안

부분적 변화를 넘어서, 착취와 억압에서 해방된 평등하고 자유로운 사회를 만드는 것은 불가능한 일일까? 앞에서 살펴본 부분적 변화의 정신 대부분은 자본주의를 뛰어넘는 총체적 변혁 구상에 종합적으로 반영되어 있다.

우리가 추구하는 세상은 생산수단의 사적 소유가 없는 사회를 말한다. 하지만 과거의 소비에트 모델처럼 국가 중심적이고 위계적이며 중앙집권적인 사회와는 다르다. 어떤 사람들은 시장 사회주의를 제안하기도 했다. 국가가 주도하는 계획경제를 탈피하되 시장경제는 그대로 두자는 생각이다.

한편, 자본주의를 넘어서는 세계에서도 시장 원리는 유지해야 한다는 주장도 있는가 하면 국가가 경제 계획을 담당해야 한다는 생각을 완전히 부정하는 사람도 있다. 예를 들어 마이클 앨버트(Michael Albert) 같은 사람은 '파레콘'(Parecon)이라는 '복합적 참여 경제' 모델을 고안해 냈다.

자본주의 묘지

관련 사이트
www.lavaca.org/notas/nota379.shtml
www.parecon.org

참여 경제에는 관리자도, 고용주도, 소유주도 없다. 노동자들은 저마다 자신의 노력에 따라 보수를 받고, 혼자 감당하기 힘든 노동이나 지루한 노동은 함께하게 된다. 생산과 소비는 민주적이고 분권화된 방식으로 이루어지고 시장 법칙은 사라지고 경제 관료들도 필요없다. 노동자와 소비자 한 사람 한 사람이 수평적인 방식으로 투자와 생산, 소비를 함께 결정하게 된다. 참여 경제의 생산계획은 평의회 방식으로 결정되는데, 기업이나 마을에서는 물론 지역이나 국가 차원에서도 사람들이 직접 참여하게 된다.

교실 밖으로

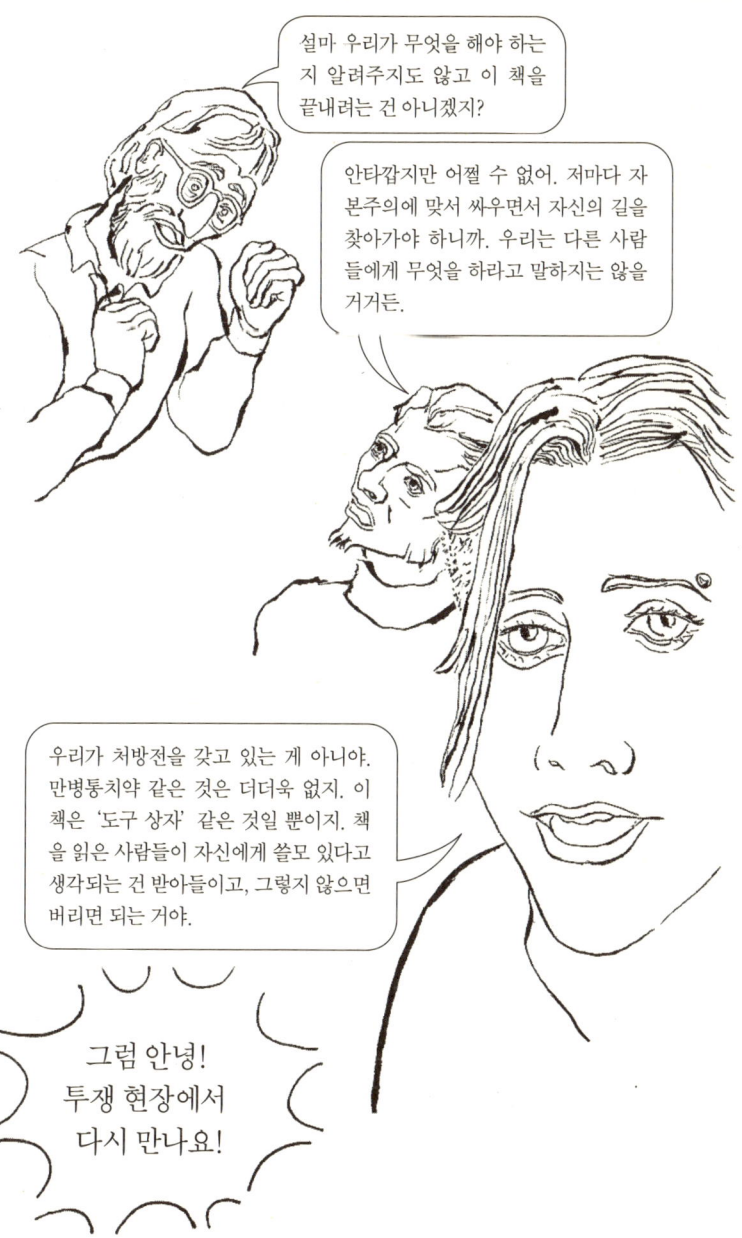

| 참고문헌 |

José Seoane y Emillio Taddei(eds.) *Resistencias Mundiales: de Seattle s Porto Alegre* (Buenos Aires: Clasco, 2001)

Michael Hardt y Antonio Negri, *Imperio* (Buenos Aires: Paidós, 2002)(윤수종 옮김, 《제국》, 이학사, 2001)

Michael Prokosch, Laura Raymond(eds.) *The Global Activist's Manual* (New York: Nation Books, 2002)

George Monbiot, Susan George, *Anti-capitalism: A Guide to the Movement* (London: Bookmarks, 2001)

MTD Solano y Colectivo Situaciones, *La hipótesis 891: más allá de los Piquete* (Buenos Aires: Ediciones De Mano en Mano, 2002)

John Holloway, *Cambiar de mundo sin tomar de poder* (Buenos Aires: Herramienta, 2002)

Naomi Klein, *No Logo: No Space, No Choice, No Jobs* (New York: Picador, 2002)

Naomi Klein, *Fences and Windows: Dispatches from the Front Lines of the Globalization Debate* (Picador 2002)

Michael Albert *Parecon: Life After Capitalism* London: Verso, 2004 (김익희 옮김, 《파레콘: 자본주의 이후 인류의 삶》, 북로드, 2003)

Starhawk, *Webs of Power: Notes from the Global Uprising* (Gabrola Island: New Society Publishers, 2002)

Jeremy Brecher, *Globalization from Below* (Cambirdge, MA: South End Press, 2000)

John Jordan, *We Are Everywhere: The Irresistible Rise of Global Anti-Capitalism* (London: Verso, 2003)

Ezequiel Adamovsky(ed.), *Octubre Hoy: Conversaciones Sobre la Idea Comunista* (Buenos Aires: El Cielo Por Asalto, 1998)

Boris Kagarlitsky, *Retern to Radicalism* (London: Pluto Press, 2000)

Hilary Wainwright, *Reclaim the State: Experiments in Popular Democracy* (London: Verso, 2003)

| 조직·단체 줄임말 |

AEC   남아프리카 퇴거반대운동
APF   반사유화포럼
EZLN   사파티스타 민족해방군
GAD   세계 행동의 날
IMC   독립미디어센터
MSR   혁명적 사회주의 운동
MST   토지 없는 농민운동
MTD   아르헨티나 실업노동자운동
NB   국경 없는 모임
NBA   나르마다 살리기
PGA   지구민중행동
PRS   혁명사회주의당
PSR   사회주의혁명당
RGT   전지구적교환연대
RTS   거리 되찾기 운동
VC   비아 캄페시나(농민의 희망)
WMW   세계여성행진
WSF   세계사회포럼

| 옮긴이 후기 |

오늘 우리가 마주한 현실

사회가 불공정하다는 생각을 한 번도 안 해 본 사람이 있을까! 또 '이 불공정한 사회를 어떻게 하면 바꿀 수 있을까' 하고 진지하게 생각하거나 구체적인 실천을 시도해 본 경험이 있는 사람들은 얼마나 될까. 이 사회는 우리, 사람들이 스스로 만들어 낸 제도이고 질서이다. 하지만 정작 사회의 주인인 우리는 그 부당함을 일상적으로 느끼면서도 동시에 '어쩔 수 없어' 하고 체념한 채 살아가고 있는 것은 아닐까. 이런 모습이 어쩌면 오늘 우리의 자화상인지 모른다. 이것은 우리가 너무나 당연하게 받아들이고 있는 '자본주의' 식 삶이 만들어 낸 사회적 결과물인 동시에 지금의 부당한 현실이 지속될 수밖에 없는 까닭이기도 하다.

이 사회의 주체인 우리들은 이러한 '체념'의 과정을 통해 단순한 객체로 전락하여 사회의 부당한 질서 앞에 저항을 선택하기보다는 그저 스스로를 '적응' 시키려고 노력하는 게 사실이다. '사회적 인간'일 수밖에 없는 우리들은 이러한 사회적 지배 아래 자신도 모르게 굴복하고 있는 것이다. 그렇다면 보이지는 않지만 분명 우리를 지배하고 있는 이러한 강제된 사회적 '힘'은 어디서 나오는 것일까. 바로 이러한 질문에 대한 답을 모색하려는 시도로 이 책을 번역하게 되었다. 제목에서 알 수 있듯이 이 책은 '반' 자본주의를 이야기하고 있다. 단순히 자본주의를 비판하자는 이야기가 아니라, 우리가 너무나 당연한 현실로 받아들이는 '자본주의'에 대해서 제대로 알자는 소박하지만 강렬한 희망을 담고 있다.

우리 사회 전반에 걸쳐 스며들어 있는 자본주의 질서는 동시에 우리의 삶에 내면화되어 있다. 따라서 체념으로든 적극적인 선택으로든 우리는 이러한 삶을 받아들이지 않을 수 없게 되었다. 그렇기 때문에 이러한 자본주의식 삶을 당연한 현실이 아니라 우리 스스로가 바꿀 수도 있는 삶의 양식 가운데 하나로 이해하려는 진지한 노력이 필요하다. 이러한 노력이 단순한 선택의 문제가 아니라 필수 문제일 수밖에 없음을 우리는 지난 촛불집회 경험을 통해 분명히 깨닫게 되었다.

촛불의 경험은 "미국산 쇠고기를 먹지 않겠다"는 단순한 소비자 차원의 주장이 아니었다. 이 사회의 주인으로서 우리의 의사를 정당하게 표현하고 요구하려는 움직임이었다. 촛불은 결코 몇몇 사람들이나 단체가 이 질서가 잘못되었다고 주장하는 것이 아니라 교복을 입고 나온 학생들, 유모차를 끌고 나온 엄마들, 그리고 아이를 어깨에 올려 목마를 태우고 나온 아버지들까지 대다수 사람들이 이 사회의 주체적 개인으로서 적극적 의지를 실천에 옮기는 모습이었다. 그러나 이런 요구는 철저하게 외면당했고 결과적으로 우리의 의지와 관계없이 미국산 쇠고기를 먹어야 하는 현실을 보면서 스스로 '과연 이 사회가 우리의 뜻에 따라 움직이는가!' 하는 질문을 던지지 않을 수 없게 되었다. 이 사회의 주인이 우리라면 정부의 중요한 결정에 우리의 의사가 반영되어야 했다. 국민 대다수가 적극적으로 반대운동을 벌이고 '동의' 하지 않는다는 분명한 의사를 밝혔음에도 현실은 냉엄했다. 오히려 주인인 우리들의 권리 주장을 '범죄'로 몰았다. 우리들은 순식간에 '빨갱이' 가 되기도 했고 일하기 싫어 거리로 나오는 '백수' 가 되기도 했다. 그래서 전투경찰들의 군홧발에 밟혀야 했고, 곤봉을 맞아야 했으며 물대포의 위력도 맛보아야 했다. 촛불은 잦아들었지만 우리 가슴속에 '왜' 라는 질문은 계속 남아 있다고 생각한다.

우리 사회에서 '반자본주의' 를 이야기하는 것은 여전히 낯설고 불편

한 일이다. 그것은 분단이라는 왜곡된 역사가 만들어 낸 '반공' 이데올로기의 영향 때문이다. 우리 사회에 만연해 있는 '안보 논리'와 '색깔 논쟁'은 반세기가 훌쩍 지난 지금까지도 사람들의 발목을 잡고 있지 않는가. 이러한 환경에서 여전히 반자본주의를 이야기하면 이는 곧 국가안보를 위협하는 불순한 사회주의자라는 이상한 공식이 자리 잡고 있다. 자본주의를 비판하는 책을 지니는 것만으로도 감옥살이를 해야 했던 분단과 전쟁 그리고 오랜 독재 체제로 얼룩진 한국 현대사의 비극이 이런 공식을 더욱 강화했다. 이 때문에 우리 사회는 자본주의를 사람이 선택할 수 있는 사회 시스템의 하나로서가 아니라 당연히 받아들여야 하는 어쩔 수 없는 현실로 이해하게 되었다.

그 때문에 자본주의가 만들어 내는 사회의 모순과 갈등을 이야기하는 것은 우리에게 익숙하지 않을 뿐만 아니라 거북한 일이 되었다. 게다가 이미 우리의 일상 속에는 자본주의적 삶의 방식이 구석구석 스며들어 있어서 자본주의가 아닌 다른 세상을 꿈꿀 수 있는 상상력조차 잃어버렸는지 모른다. 하지만 이 책이 잘 말해 주고 있듯이 자본주의는 오랜 인류 역사에서 나타난 짧은 한 시기에 지나지 않는다.

500년 조선 왕조의 신분제 사회가 끝나고 일제 식민지를 거치며 지금의 자본주의가 우리 나라에 정착된 것은 100년이 채 되지 않았다. 일본 제국주의에 맞서 다양한 사회 이념과 세력이 민족해방운동을 벌였고, 심지어 해방 공간에서는 반자본주의 국가 건설을 추구한 세력이 더 많았다.

자본주의 사회는 역사적 과정을 통해 인간이 만들어 낸 수많은 사회 시스템 가운데 하나일 뿐이다. 하지만 이런 자본주의가 언제, 어떻게 만들어졌는지에 대해서 사실 우리는 잘 알지 못한다. 끊임없이 자본주의를 넘어서는 저항, 즉 '반인간적 사회 시스템'을 극복하고 좀 더 나은 세상을 만들기 위해 저항해 온 인간의 역사에 대해서도 모르기는 마찬가지이다.

이 책의 의미와 한계

이 책은 자본주의가 무엇인지 알아 보려는 노력을 '소홀히' 한 우리 모두를 위한 안내서이다. 지은이 에세키엘(Ezequiel)은 아르헨티나의 젊은 활동가이자 정치학자이다. 그는 세계의 여러 진보적인 잡지나 신문에 기고할 뿐 아니라 운동 현장에서도 활발한 활동을 벌이고 있는 1971년생의 젊은 운동가이다. 이 책은 2003년 《초보자를 위한 반자본주의》라는 제목으로 '해방 운동의 새로운 시대'라는 부제를 달고 아르헨티나에서 스페인어로 처음 출판되었다. 그 뒤 스페인과 중남미 대부분의 나라는 물론이고 영국과 독일, 일본에서도 번역되어 널리 읽히고 있다.

이 책의 삽화를 담당한 일러스트레이터연합은 2001년 12월에 있었던 아르헨티나의 대중운동 '냄비 시위'를 계기로 결성되었다. 이 예술가들의 모임은 그 뒤로 온갖 종류의 사회 대중운동을 적극적으로 지원하고 그림이나 삽화를 통해 예술로 정치적 연대를 해 오고 있다. 본문 여기저기에 등장하는 역사 인물의 캐리커처나 세계 곳곳에서 벌어지는 저항운동을 묘사한 그림은 일반적인 삽화의 역할을 넘어설 만한 수준이라고 생각된다.

이 책은 간략하지만 내용의 깊이와 표현의 풍부함을 갖추고 있다. 그리고 단순히 반자본주의 운동을 소개하는 데에 그치지 않고 자본주의를 비판적으로 바라볼 수 있는 구체적인 현실과 실천 사례들을 보여 줌으로써 이해를 돕고 있다. 예컨대 무조건 직장이나 회사의 방침을 따르고 복종해야 하는 현실, 병원비나 약값을 내지 못하면 살 수 있는 권리마저 없는 현실, 그리고 성공을 향한 무한 질주의 경쟁이 더 이상 사람들로 하여금 협력이나 연대가 아닌 '견제와 배제'가 판을 치도록 만드는 현실 등 우리가 늘 겪으면서도 당연하게 생각했던 삶의 모습을 들여다볼 수 있도록 해 준다. 아마 이 점이 지은이가 의도한 '반자본주의 교실'의 목적일 것이다.

앞서 이야기했듯 이 책은 단순한 자본주의 이론이나 논리를 딱딱한 언어로 설명하는 방식을 벗어나서, 주체적인 개인으로 또는 집단으로 전 지구적 자본주의에 맞서는 사람들의 저항을 구체적인 사례를 통해 소개하고 있다. 즉 사람들이 신자유주의에 굴복한 것만이 아니라 이에 맞서 다양하게 저항해 왔고 그러한 저항으로 세상이 바뀌고 있음을 강조하고 있다. 예컨대 악덕 기업주의 제품을 소비하지 않으려는 일상의 작은 노력에서부터, '시애틀 반란'이라 불리는 WTO 각료회의를 저지한 거대한 국제연대 사회운동에 이르기까지, 사회를 변혁시키는 것은 주체적인 개인들의 실제적이고 적극적인 실천의 '힘'으로부터 나온다는 진실을 보여 주고 있다. 동시에 바로 오늘이 '체념의 현실'이 아니라 '새로운 것을 꿈꾸어 볼 수 있는 희망의 출발점'으로 볼 수 있게 해 준다는 것이 이 책의 빼놓을 수 없는 장점이다. 독자들은 이 책을 넘겨 가면서 '지식'과 '실천'의 결합이 사회 변혁의 중요한 원리임을 자연스럽게 느낄 수 있을 것이다.

반면 이 책은 매우 쉽게 쓰인 교양 입문서이지만, 현실 운동과 관련해 자율주의라는 뚜렷한 하나의 실천적 입장을 취함으로써 상대적으로 다양한 관점을 소개하지 못한 아쉬움이 있다. 자율주의는 여러 가지 반자본주의 운동의 한 흐름으로 주체적인 개인의 실천을 중요시하고 대중의 저항 그 자체, 특히 저항 과정을 통해 스스로 변화하는 것이 중요하다고 강조한다. 동시에 이 같은 자율주의는 무엇보다 국가 권력 중심의 사회변혁을 추구하던 과거의 반자본주의 운동을 비판하는 지점에 자리하고 있다. 국가 중심의 사회변혁 운동이 주체적인 개인 더 나아가 대중의 자발성을 약화시킴으로써 기존의 사회주의 운동은 실패했다고 본다. 따라서 자율주의는 소수의 정치가들이 민중을 대변하는 대의제 정치에 매우 비판적이며 민중 권력을 강조한다. 그러나 이러한 비판이 과거 좌파운동의 역사적 상황과 맥락을 충분히 소개하지 않은 채 자율주의의 관점에 서서 단순 비판에 그쳤다는 점이 번역자로서 조금 아쉽게 느꼈던 부분이다.

오늘날 자본주의가 너무도 고통스럽다는 데 대해서는 모든 진보 세력의 견해가 일치하지만 여기에 저항하는 운동의 실천과 관련해서는 여러 가지 쟁점이 존재한다. 근본적 관점의 차이에서부터 '국가권력'이 사회를 바꾼 데 여전히 중요한 수단인지에 대한 논쟁, 전 지구적 자본주의와 민족국가와 관계를 어떻게 볼 것인가 하는 문제, 그리고 노동계급에 바탕을 둔 정당과 노동조합에 관한 논쟁 등의 문제를 두고 여전히 다양한 의견이 있다.

이러한 논쟁들은 결코 고준담론 같은 것이 아니라 매우 실천적인 고민을 필요로 하는 것이라 할 수 있다. 그렇기 때문에 하나의 운동 관점에서가 아니라 다양한 실천들을 모색하고 있는 우리 촛불세대들을 위해서는 여러 입장에서 풍부한 논지를 소개했으면 하는 작은 아쉬움을 지울 길이 없다. 어찌 보면 이 작은 책을 통해 자본주의 총체적 내용과 비판을 깊이 있게 담아 내고 있는 장점에 견주어 본다면 오히려 아쉬움은 아주 미미한 것이라고 할 수도 있겠다.

전 지구적 자본주의

자본주의가 신자유주의라는 부제를 달고 전 지구적으로 팽창할 수 있었던 것은 이른바 사회주의를 내걸었던 소비에트 블록의 몰락에 힘입은 바 크다. 이는 단순한 소비에트 블록의 해체만을 의미하는 것이 아니라 이데올로기적으로 자본주의를 넘어서는 다른 대안은 있을 수 없는 것처럼 믿게 만들었다. 전 지구적으로 확산된 자본주의가 이제는 인류의 유일무이한 사회 시스템인 양 떠들어 대던 프랜시스 후쿠야마 같은 이의 오만한 자신감이야말로 그 절정이었다. 한때 마치 자본주의는 인류가 만들어낸 가장 완벽하고 좋은 사회 시스템이라고 생각하게 하였다. 하지만 얼마 지나지 않아 현실은 그와 정반대가 되지 않았는가!

우리 사회 현실을 들여다보면 그 현실은 더욱 암담하다. 예컨대, 몇 년 전부터 치솟는 등록금은 가정 경제를 파탄으로 몰고 가고 있을 뿐 아니라, 대학생들을 신용 불량자로 만들고 있는 실정이다. 등록금 인상이 자율적인 대학의 '권한'이라는 천박한 시장 논리는 이제 학생들의 공부할 권리마저 '합법적'으로 빼앗아 가고 있다.

야만적 시장 법칙은 얼마 전에 있었던 '용산 참사'의 모습에서 더욱 분명히 드러난다. 철거민들은 자본가의 이익을 대변한 공권력의 폭력 앞에 죽어 갔지만 우리들은 이러한 '죽음'에 의문을 갖지 못한다. 그것은 다름 아니라 우리 스르로가 이러한 '사회적 질서'를 당연하게 받아들이며 살아가고 있기 때문이다. 하지만 우리가 외면하는 사회 현실은 고스란히 부메랑이 되어 돌아올 수밖에 없다. 그래서 자본주의가 무엇인지를 제대로 알아야 하는 문제는 단순한 선택의 문제가 아니라 필수의 문제가 된 것이다. 나와 관계없는 먼 이야기가 아니라 바로 이 사회를 살고 있는 우리들 자신의 문제이다. 즉 우리의 삶과 생각을 지배하고 있는 자본주의를 제대로 이해할 때 미국산 병든 쇠고기를 왜 먹어야 하는지, 대학 등록금은 왜 그리 치솟을 수밖에 없는지, 오랫동안 살아오던 삶터와 일터를 하루아침에 빼앗기고 노숙자나 해고자가 되어야 하는지를 이해하게 될 것이다.

그리고 이러한 현실의 문제는 그저 한국 사회에서만 일어나는 것이 아니다. 전 지구적 자본주의의 질서 아래 살고 있는 다른 나라, 다른 사회도 우리와 근본적으로 다르지 않다. 20세기 후반에 본격적으로 전 지구적 자본주의의 질서로 도입된 신자유주의는 전 세계 대다수 민중들의 삶을 황폐화시켰다. 우리와 마찬가지로 오늘날 세계 곳곳의 수많은 사람들이 자본주의식 삶의 질서 아래 고통 받고 있으며, 동시에 꾸준한 저항을 통해 새로운 삶을 모색하고 있다. 예를 들어 1989년 베네수엘라 사회를 뒤흔든 '카라카소'(Caracazo)는 수천 명의 사망자를 내고 잔혹하게 진압된 거대한 민중항쟁으로 기록된다. 당시 봉기 가담자들은 전 인구의 70~80퍼센트를 차지하고 있으면서도 극심한 가난에 시달리던 민중들이었다. 그리고 그것이 기폭제가 되어 20년이 지난 지금 베네수엘라 사회를 바꾸고 있는 사람들은 다름 아닌 '가난' 하지만 새로운 사회를 꿈꾸는 '열정'을 가진 바로 그런 사람들이다.

또한 1980대 초 멕시코를 중심으로 라틴아메리카 대륙에 불어 닥친 외채 위기는 국가 단위 '고리대금'을 합법화한 것이나 다름없는 '금융의 세계화'가 낳은 사생아였다. 외채의 이자가 원금의 몇 배가 되는 황당한 사건들은 이제 너무 흔한 일이 되어 버렸다. 이와 같은 현실은 한국에도 1997년 IMF 경제 위기로 똑같이 찾아왔다. 예컨대 기업 '성공 신화'의 주역이었던 전 대우 그룹 김우중 회장의 성공은 국가가 대신 보증을 서 주고 외국에서 '사채'를 들인 결과가 아니던가. 결국 그 외채는 고스란히 민중들이 대신 갚아야 할 빚이 되어 버리지 않았던가.

이러한 어처구니없는 일들은 지금도 버젓이 국가가 주도로 일어나고 있다. 그런데도 사람들은 국가란 항상 '국민을 위한' 결정을 한다는 근거 없는 믿음을 갖고 있으며, 자본주의의 '시장법칙'은 마치 자연 법칙인 듯 맹신하는 경향이 있다. 자본주의에서 '자유'의 본질은 단연코 억압이다. 사람들이 대학에서 전공을 선택하고 사회에서 직장을 선택하는 조건은 취직에 유리한가 돈을 많이 벌 수 있는가이지 우리가 진정으로 원하는 공부나 직업을 선택하는 경우는 드물다. 즉 우리가 당연하게 가지고 있다고 생각하는 삶의 의사 결정권은 바로 우리를 강제하고 억압하는 사회적 '힘'인 자본주의식 질서에 의해 결정되고 있다.

왜 사람들은 자본이 지배하는 세계화가 전 세계 대다수 사람들을 억압하고 또 고통으로 내몰고 있다고 주장하는 것일까. 그리고 이에 맞서 저항하는 사람들 사이에 도대체 무슨 일들이 일어나고 있는 것일까. 이러한 궁금증을 가지고 있는 사람에게, 그리고 한 번이라도 촛불을 밝히고 시청으로 광화문으로 향했던 사람들에게 이 책은 또 하나의 진실의 '촛불'이 되어 줄 것이라 믿는다.

이 책이 한국 사회운동에 전례가 없는 발랄한 '반란'의 주역인 10대들에게도 자신의 경험을 한번 돌아보게 해 주는 계기가 되었으면 한다. 촛불세대가 만들어 낸 상큼한 반란이, 전쟁 세대의 음울함, 경제 고도성장 세대의 부지런함 그리고 민주화 세대의 치열함과도 다른 역사의 큰 물결을 이루어 내었으면 한다. 그러기 위해서는 세계에서 벌어지고 있는 사회운동의 흐름과 함께 호흡하는 것도 꼭 필요하다. 촛불세대의 가슴에 새로운 사회를 향한 '열정'을 다시 한 번 일으킬 수 있었으면 하는 바람이다.

2009년 6월
정이나

| 인물 찾아보기 |

가타리(Felix Guattari, 1930 ~ 1992) 114쪽
프랑스의 철학자. 들뢰즈와 함께 쓴 《천 개의 고원》《앙티 오이디푸스》

게바라(Che Guevara, 1928 ~ 1967) 86쪽
라틴아메리카의 혁명가. 《게릴라 전쟁》《라틴 여행일기》

그람시(Antonio Gramsci, 1891 ~ 1937) 50쪽
이탈리아의 정치가 마르크스주의 사상가. 《옥중수고》

네그리(Antonio Negri, 1933 ~) 35, 60, 100, 106, 127쪽
이탈리아의 정치학자. 가타리와 함께 쓴 《제국》《아우토노미아》

니에레레(Julius Nyerere, 1921 ~ 1999) 87, 91쪽
탄자니아 민족운동가. 탄자니아 초대 대통령

드 구주(Olympe de Gouges, 1745 ~ 1793) 68쪽
프랑스의 여성운동가이자 극작가. 《여성과 시민의 권리 선언》

들뢰즈(Gilles Deleuze, 1925 ~ 1995) 114쪽
프랑스의 철학자. 가타리와 함께 쓴 《천 개의 고원》《앙티 오이디푸스》

디드로(Denis Diderot, 1713 ~ 1784) 65쪽
프랑스의 사상가 《군주정치》《달랑베르의 꿈》

레닌(Vladimir Lenin, 1870 ~ 1924) 80~84, 88쪽
러시아의 혁명가. 《무엇을 할 것인가》《국가와 혁명》

루소(Jean - Jacques Rousseau, 1712 ~ 1778) 65쪽
프랑스의 계몽사상가.《인간 불평등의 기원》《사회계약론》《에밀》

룩셈부르크(Rosa Luxemburg, 1870 ~ 1919) 79쪽
폴란드 태생의 마르크스주의 이론가. 혁명 활동을 하다 암살당함

루베르튀르(Touissaint L' Ouverture, 1743 ~ 1803) 67, 68쪽
아이티혁명의 지도자.

마르실리오(Marsilio da Padova, 1275 ~ 1342) 61쪽
이탈리아의 사상가.《평화의 옹호자》

마르코스(Subcomandante Marcos) 112, 118, 120, 125, 137쪽
멕시코 사파티스타 부사령관

마르크스(Karl Marx, 1818 ~ 1883) 24, 27, 38, 51, 52, 74~78쪽
독일의 사상가《자본론》《공산당 선언》

마오쩌둥(毛澤東, 1893 ~ 1976) 85쪽
중국혁명의 지도자, 사상가.《중국혁명론》《마오쩌둥 저작집》

모어(Tomas More, 1478 ~ 1535) 62쪽
영국의 정치사상가.《유토피아》

뮌처(Tomas Muntzer, 1489 ~ 1525) 62쪽
독일의 신학자, 종교개혁 운동 지도자.《거짓 믿음을 폭로함》

인물 찾아보기 193

바쿠닌(Mikhail Bakunin, 1814 ~ 1876) 38, 73, 76쪽
러시아의 아나키즘 사상가. 《국가와 아나키》

베른슈타인(Eduard Bernstein, 1850 ~ 1932) 78, 79쪽
독일 사회민주당의 지도자. 《사회주의의 전제와 사민당의 과제》

북친(Murray Bookchin, 1921 ~ 2006) 174쪽
미국의 사상가. 《휴머니즘의 옹호》

사파타(Emiliano Zapata, 1883 ~ 1919) 80쪽
멕시코의 농민혁명가

샬롬(Stephen Shalom) 174쪽
미국의 정치학자. 《당신은 좌우 어느쪽입니까: 정치학 입문》

스탈린(Iosiv Stalin 1870 ~ 1953) 84, 88쪽
러시아의 정치가. 《마르크스주의와 민족 문제》

아옌데(Salvador Allende, 1908 ~ 1973) 49쪽
칠레의 정치가. 1973년 대통령 재임 중 쿠테타로 사망

앨버트(Michael Albert, 1947 ~) 178쪽
진보 매체 《Z매거진》을 펴내고 있는 미국의 언론인. 《파레콘》

엥겔스(Friedrich Engels, 1820 ~ 1895) 75, 77쪽
독일의 경제학자, 철학자. 《독일 이데올로기》, 《공산당 선언》

오언(Robert Owen, 1771 ~ 1858) 71쪽
영국의 사회주의 사상가. 《새로운 사회관》《자서전》

조던(John Jordan, 1965 ~) 113쪽
반 자본주의 활동가이자 예술가. 《전 지구적 반자본주의의 등장》

카우츠키(Karl Kautsky, 1854 ~ 1938) 77, 83쪽
독일 사회민주당 지도자. 《프롤레타리아 독재》《계급투쟁》

캄파넬라(Tommaso Campanella, 1568 ~ 1639) 62쪽
이탈리아의 철학자. 《태양의 나라》《갈릴레이 변호론》

크로포트킨(Pyotr Kropotkin, 1842 ~ 1921) 73쪽
러시아의 아나키즘 사상가. 《만물은 서로 돕는다》《자서전》

클레인(Naomi Klein, 1970 ~) 121쪽
캐나다의 언론인이자 반자본주의 운동가. 《쇼크 독트린》《노 로고》

트로츠키(Leon Trotsky, 1879 ~ 1940) 84, 88, 124쪽
러시아의 혁명가. 《배반당한 혁명》《러시아혁명사》

팔메(Olof Palme, 1927 ~ 1986) 90쪽
스웨덴의 정치가. 1986년 총리 재임 중 암살당함

푸리에(Charles Fourier, 1772 ~ 1837) 71쪽
프랑스의 사회주의 사상가. 《네 가지 운동 이론》《새로운 산업 세계》

푸코(Michel Foucault, 1926 ~ 1984) 50, 97쪽
프랑스의 철학자. 《감시와 처벌》《광기의 역사》《지식의 고고학》

프루동(Pierre - Joseph Proudhon, 1809 ~ 1865) 72쪽
프랑스의 사회주의 사상가. 《소유란 무엇인가》

하트(Michael Hardt, 1960 ~) 35, 127쪽
미국의 정치학자. 네그리와 함께 쓴 《제국》《비물질 노동과 다중》

할러웨이(John Holloway, 1947 ~) 42, 100쪽
미국의 사회학자, 정치이론가. 《권력을 잡지 않고 세상을 바꾼다》

홉스봄(Eric Hobsbawm, 1917 ~) 32쪽
영국의 역사학자. 《혁명의 시대》《1789년 이후의 민족주의》

후쿠야마(Francis Fukuyama, 1952 ~) 92쪽
미국의 사회과학자. 《역사의 종말》《트러스트》